Nina, graine d'étoile

L'auteur

Née à Rabat, au Maroc, **Anne-Marie Pol** a eu une enfance et une adolescence voyageuses. Cette vie nomade l'a empêchée d'accomplir son rêve : être ballerine. Elle a vécu en Espagne où elle a travaillé comme mannequin pendant une dizaine d'années. En 1980, de retour à Paris, après des études théâtrales à la Sorbonne, elle se décide à réaliser un autre grand rêve : écrire. Son premier roman paraît en 1986. Depuis, elle a écrit de nombreux livres, dont certains sont maintenant traduits en plusieurs langues. Ses ouvrages sont publiés chez Flammarion, Hachette, Grasset et à l'Archipel.

Site de l'auteur :
www.annemarie-pol.fr

Vous êtes nombreux à nous écrire
et vous aimez les livres de la série

Adressez votre courrier à :
Pocket Jeunesse, 12, avenue d'Italie, 75013 Paris.
Nous vous répondrons et transmettrons
vos lettres à l'auteur.

Anne-Marie Pol

Danse !

Nina, graine d'étoile

Malgré leurs noms de famille empruntés à l'histoire du ballet, les personnages de ce roman sont fictifs. Toute ressemblance entre eux et des personnes existant, ou ayant existé, est le fruit du hasard.

Loi n° 49 956 du 16 juillet 1949 sur les publications destinées à la jeunesse : janvier 2012.

ISBN : 978-2-266-22341-6

Tu danses,
tu as dansé,
tu rêves de danser...
Rejoins vite Nina et ses amis.
Et partage avec eux
la passion de la danse...

Pour tous ceux
qui rêvent de danser…

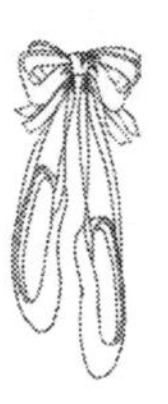

1
Bichette

Je reprends mon souffle.

Je suis toute droite dans le cercle de lumière, au milieu de la scène. Je porte un tutu rose, si léger qu'il a l'air fait d'un morceau de nuage. Je me dis :

« Maman est dans la salle. »

Là. Tout près. Dans cette espèce de trou noir où il n'y a que des ombres. J'entends leurs murmures :

– C'est Nina Fabbri.

– Une jolie ballerine...

– Et douée ! Elle n'a pas encore treize ans.

Je tends mon pied serré dans le chausson luisant, au bout dur. La musique éclate. Je pique de la pointe. Mais je ne peux pas… je ne peux plus danser !

Je me mets à hurler :

– Maman !

Et je me réveille. Je suis à demi tombée du lit, un pied par terre. La couette dans tous les sens. Mon cœur cogne. Toujours le même rêve ! Impossible de m'en dépêtrer. Depuis que j'ai perdu ma mère – il y a dix-huit mois – il m'attend chaque nuit au tournant du sommeil.

J'allume la lampe. Sa lumière jaunâtre me fait cligner des yeux. Ma petite chambre ressemble à un cocon rassurant. Pas un bruit. Les yeux écarquillés, j'écoute le silence dans lequel mon cœur fait boum… boum… boum… et je me lève sur la pointe des pieds.

Le carrelage est froid. La porte grince. Une fois dans le couloir, j'appelle :

– Papa ?

Il ne répond pas. Sa chambre est grande ouverte. Vide. Le lit n'est pas défait. Sorti hier soir, mon père n'est pas encore rentré. Ça alors !

Je vais dans la cuisine. Je me sers un verre d'eau. Où est-ce qu'il peut être, mon père ?

On l'invite souvent, dernièrement.

– Nina !

Je sursaute. Avec le bruit du robinet, je n'ai pas entendu s'ouvrir ni se fermer la porte d'entrée. Je ne l'ai pas entendu arriver :

– Papa…

– Qu'est-ce que tu fais debout à cette heure-ci ? demande-t-il.

Je contre-attaque :

– Et toi ? Pourquoi tu rentres si tard ?

– La soirée a duré plus longtemps que prévu.

J'ai un petit rire :

– C'est clair !

À vrai dire, je ne trouve pas ça drôle, mais je suis soulagée qu'il soit là. Je vais me jeter contre lui et je fronce le nez : ses habits sont imprégnés d'une odeur désagréable de tabac. Il me serre dans ses bras :

– Tu es glacée, ma Bichette.

J'aime bien qu'il m'appelle comme ça. C'était l'habitude de Maman. « Tu as une figure de faon, disait-elle, avec tes yeux en amande – si noirs –, tes pommettes hautes et ton petit bout de nez ! » En plus, j'ai les cheveux brun-roux. Bichette, quoi !

J'appuie ma joue contre celle de Papa, qui gratte. Il pique un baiser sur ma tempe :

– Va te coucher.

– Accompagne-moi, alors.

En étouffant un soupir – je suis crevée – il me ramène à mon lit. Je m'y pelotonne. Il me borde :

– Dors vite !

Je bâille :

– Toi-oi-oi aussi...

– J'ai intérêt. On m'attend à 10 heures à l'A.N.P.E.[1].

Je rebâille :

– Pourvuuu que ça marche... et que tu retrououves du travail...

Les yeux fermés, je suis en train de glisser dans quelque chose de doux, de cotonneux : la neige tiède du sommeil.

J'entends :

– Ma Bichette...

Et je m'endors.

---

1. Agence nationale pour l'emploi, ancien nom de « Pôle Emploi ».

Le réveil sonne.

Je me lève vite. J'ai hâte que la journée commence, parce qu'elle va m'apporter un beau cadeau : mon cours de danse. Je me précipite à la cuisine, je mets le lait à chauffer, verse le cacao en poudre dans un bol, croque une biscotte… puis, j'avale vite fait mon chocolat. Il me brûlote le bout de la langue : j'adore ! Je bois toujours trop chaud.

Après, je cours à la salle de bains. En cinq sec, je me douche, me brosse les dents, me coiffe : un chignon bien serré. Autant m'avancer pour la danse ! Une fois dans ma chambre, j'enfile mes collants avant de passer mon jean, un tee-shirt, un gros pull noir, mes chaussettes (zut ! l'une a un petit trou au talon), et des baskets.

Puis, je fais une pause.

Dans le rond de la lampe, sur la table de chevet, un médaillon brille. Je l'attrape délicatement et, après un petit baiser, je l'accroche à mon cou, je l'enfourne sous mes vêtements. À l'abri. D'abord, le métal est un peu froid, mais il tiédit au contact de ma peau. C'est doux comme une caresse légère ; une caresse de

Maman. Ce souvenir me vient d'elle. Dès que je le porte, je me sens mieux.

C'est mon fétiche.

Je remplis mon sac à dos. Entre livres et cahiers je réussis à caser une poche de tissu contenant mes deux paires de chaussons, mon justaucorps et mon cache-cœur. Voilà ! Je suis partie ! Enfin... pas encore... Je vais frapper à la porte de mon père :

– Qu'est-ce qu'y a ? marmonne une voix enrouée.

J'entrouvre le battant :

– C'est pour le chèque, tu sais... Celui de la danse. Pour le mois d'octobre. On est déjà le 15.

Il émerge de la couette, ses cheveux bruns ébouriffés :

– Dis à Mme Elssler que je passerai.

– Je lui ai déjà dit... au moins trois fois.

– Eh bien, ça fera une quatrième !

Je reste muette. Choquée. Il s'écrie précipitamment :

– Je rigole, petite sotte ! Je paierai cet après-midi... en allant te chercher. D'accord ?

– D'accord. Merci, Papa. À tout à l'heure, alors, à 18 h 30 ?

– C'est ça.

Il m'envoie un baiser du bout des doigts et replonge dans son oreiller.

« Ton père est un grand gosse… » disait tendrement Maman.

Elle avait raison.

Dehors, il ne fait pas chaud.

Entre les immeubles, j'aperçois le pont de fer du métro aérien et, au-dessus, la pointe d'un chapeau de sorcière : le sommet de la tour Eiffel. Le collège n'est pas loin, sur le boulevard. Pourtant, je me mets à courir, le sac ballottant sur le dos. Je ne sens plus le froid ni les picotements du grésil qui barbouille Paris d'une humidité acide et grise. Mes joues brûlent.

J'aime courir.

J'ai l'impression d'échapper aux soucis petits ou gros, et de les semer en route !

« Pourvu que Papa vienne payer ! »

2

Notre secret, notre projet, notre rêve…

Les jours de danse, j'ai toujours du mal à travailler au collège, parce que je danse déjà dans ma tête. Aujourd'hui, je suis encore plus distraite.

Si Papa « oublie » de payer, je me sentirai vraiment mal. La prof est gentille, mais…

La sonnerie de 16 h 30 me libère enfin ! Je ramasse mes affaires. Vite ! Je décroche ma doudoune de la patère. Vite, vite ! Je dévale l'escalier. Vite, vite, vite !

À 17 heures, je dois être à la barre.

Et, déjà, l'envie de danser me fourmille dans les jambes. Je traverse la cour au galop ; l'école se trouve à quelques rues d'ici. Tout près. Mais j'ai toujours peur d'être en retard. Je cours.

– Nina-a-a-a !

Cette voix ! Je me retourne d'un bloc. Une fille brune, alourdie par son sac à dos, slalome entre les passants. Je lui réponds à tue-tête :

– Zita-a-a-a !

Je l'attends. C'est ma meilleure copine – bien qu'on n'aille pas au même collège. Une danseuse. Bien sûr. Je ne pourrais pas être amie avec une fille qui ne danse pas. De quoi je lui parlerais ?

– Ça va ?

Bises.

– Ça va !

La course a rougi ses joues mates ; ça la rend encore plus jolie. Zita Gardel a un visage très régulier avec des yeux d'encre et des sourcils très noirs, dessinés comme deux ailes d'oiseau. Je l'admire.

Et on repart. En passant devant les miroirs des magasins, on s'y reflète une seconde. Droites comme des I et coiffées pareil, je trouve qu'on ressemble à deux sœurs.

– J'ai de nouvelles pointes, m'annonce-t-elle.

Des chaussons que ma marraine m'a envoyés d'Angleterre.

– Génial !

Mais j'ajoute avec un peu d'envie :

– Tu as toujours des trucs super.

Zita proteste :

– Attends de les voir, mes chaussons, ils sont durs comme du bois. Un vrai supplice chinois !

J'éclate de rire. On tourne le coin. Le cours se trouve à deux pas, au rez-de-chaussée d'un immeuble moderne, dans une ancienne boutique. Des stores masquent la vitrine et, sur la porte de verre, une plaque autocollante en plastique annonce :

Fabiola Elssler,
de l'Opéra de Paris

L'Opéra de Paris !

Chaque fois, ces mots m'impressionnent. Même si Fabiola Elssler n'a jamais été étoile, paraît-il. Des mauvaises langues insinuent qu'elle n'a jamais, de sa vie, posé le pied sur la scène du palais Garnier, qu'elle a juste été « petit rat » à l'École de Danse. N'empêche !

Elle a droit à ce titre : de l'Opéra de Paris[1] ! Il brille comme une couronne. Est-ce qu'un jour... moi aussi... ?

On entre. On se trouve de plain-pied dans le studio, parmi un bataillon de fillettes qui sautillent. Le cours des petites n'est pas encore terminé. Fabiola Elssler – une grande femme brune en jogging mauve – leur fait faire des changements de pied : sa voix couvre la musique de la cassette qui grésille un peu :

– Les pointes bien tendues !

Le plancher résonne sous leurs sauts désordonnés. Entassées sur un banc, à droite, près du miroir, leurs mères qui assistent au cours les boivent des yeux.

Zita et moi, on se faufile le long du mur en direction du vestiaire. Je n'ose pas regarder du côté de Fabiola. Si jamais elle me saute dessus : « Tu as pensé au chèque, Nina ? » J'en ai le cœur serré à double tour. Je dis bonjour mécaniquement aux quatre ou cinq filles qui se dés-

---

1. *Palais Garnier* ou *Opéra de Paris*, construit par l'architecte Charles Garnier (1825-1898) sous le règne de Napoléon III. Seul théâtre d'opéra jusqu'à la construction de l'Opéra Bastille, inauguré en 1989.

habillent déjà entre les portemanteaux et les chaises dépareillées.

Zita s'assoit pour déballer ses affaires.

– Regarde...

Ses nouvelles pointes ! Elle passe les mains dedans pour me les faire admirer. Le satin rose miroite sous le néon du plafond. Et elle s'amuse à les faire danser en l'air. Leurs rubans s'envolent.

Je soupire :

– Qu'est-ce qu'elles sont belles...

Les filles y jettent un coup d'œil.

– Tu vas faire la barre[1] avec ? demande Chloé.

– Non, je les mettrai pour le milieu[2].

Elle les range avec soin. Moi, j'enfile mes chaussons : des vieilleries retapées avec de l'albuplast.

– Quand même, Nina, remarque Kelly, tu es vachement frimeuse !

---

1. *Barre* : exercices effectués en s'appuyant d'une main à une barre horizontale.

2. *Milieu* : exercices effectués au centre du studio, sans l'appui de la barre.

Ça alors ! Je la regarde avec des yeux ronds. Elle s'explique :

– Tout le monde sait que ça fait « professionnelle » de porter des chaussons abîmés.

Une seconde, je reste sidérée. Pour moi, mes chaussons font surtout la « fille-élevée-par-un-papa-chômeur... ». Mais je préfère la version de Kelly, même si je dois avoir l'air frimeuse.

J'attrape la balle au bond :

– Je ne vois pas où est le mal d'avoir l'air « professionnelle » ! Un jour, je le deviendrai, figure-toi !

– Tiens ? s'étonne Marion, une rondouillarde boudinée dans sa tunique, tu veux faire danseuse, toi ?

– Évidemment. Pourquoi je serais là, sinon ?

– Ben, pour t'amuser... comme moi !

Zita lui jette un regard noir :

– Idiote... dit-elle tout bas.

Elle a raison. Comme si on dansait juste pour s'amuser ! Les choses sont beaucoup plus compliquées. Zita et moi, on s'amuse en dansant, bien sûr, mais on ne danse pas pour s'amuser. Nuance ! Et on échange un coup d'œil complice. Cette malheureuse Marion ! elle dansera toujours pour s'amuser, sûr et certain. Entre nous, on la surnomme « Marion-Polochon ». C'est dire… !

– Alors… tu te vois étoile, Nina ? s'informe Chloé.

Je pique un fard. Oui. C'est mon rêve. Mais je n'aime pas qu'il soit dévoilé ainsi, bêtement. Étoile… le mot est beau, l'image est belle… Trop pour les partager avec Chloé ! Je balbutie :

– Étoile… tu parles ! Il faut y arriver.

Étoile, c'est comme gagner à la loterie. On a une chance… mettons… sur 1 000… enfin sur 999 ! Depuis que j'ai enfilé mes premiers chaussons, je le sais. N'empêche ! J'y crois. J'espère. Et si je fais semblant d'être réticente, c'est pour conjurer le sort. Machinalement, j'effleure le médaillon. À cet instant, une ribambelle de petites déferle dans le vestiaire. Par-dessus leur brouhaha, la voix de Fabiola résonne, un peu sèche :

– À vous, les grandes !

On ramasse nos affaires, on se précipite, on se bouscule pour sortir du vestiaire… J'en oublie mon histoire de chèque.

Je prends ma place en tête de barre. Fabiola annonce :

– Deux demi-pliés, un grand plié… dans toutes les positions !

J'ouvre les pieds en première, en essayant de me « placer » dans le bon axe de la danse classique : ventre serré, dos tenu, cou allongé, jambes « en dehors ».

Fabiola appuie sur le bouton du lecteur de cassettes. Une musique grêle s'en échappe : les accords. Les bras s'ouvrent, gracieux, les têtes se tournent légèrement dans la direction de la main. Je me dis qu'à la même minute, dans le monde entier, des milliers de futures danseuses classiques font exactement le même geste. C'est fou, quand on y pense. Dire que la danse est la même partout ! La danse est universelle. Et, déjà, sa magie me court sur la peau en frissons ténus.

« Maman, je vais danser pour toi. »

La danse, c'était notre « truc » à nous. Notre secret. Notre projet. Notre rêve. Elle nous relie encore l'une à l'autre comme une chaîne d'or que rien, ni personne, ne brisera jamais. Sans la danse, je n'aurais jamais pu supporter d'être privée de ma maman. Et, dès que je danse, je suis tout près d'elle…

3
Dans le miroir

– Grands battements !

J'adore cet exercice, un des derniers à la barre. Quelques mesures du *Roméo et Juliette* de Prokoviev[1] nous accompagnent. J'adore... aussi ! Sans « lâcher » le dos, je tâche de jeter la jambe le plus haut possible, en visant le plafond de la pointe bien tendue de mon chausson. J'ai très chaud. Je suis bien.

– Attention à la jambe de terre, répète Fabiola, ne pliez pas le genou.

Je m'applique. Je paie mes cours en retard,

1. *Sergueï Prokoviev* (1891-1953), compositeur et pianiste russe.

c'est vrai, mais j'écoute et je travaille. Pourvu que ma prof le remarque ! Je trouve qu'elle me considère d'un drôle d'air. À moins que ce ne soit mon imagination… ! J'ai toujours l'impression que les autres me regardent. Mais peut-être qu'ils ne me remarquent même pas !

– Nina !

La voix de Fabiola me frappe dans le dos. Comme quoi… j'ai raison.

– Souris un peu, s'il te plaît ! Tes efforts ne doivent pas se voir ! Rien n'est plus laid !

Je souris. Il le faut. Une façon de faire croire aux spectateurs que la danse, c'est facile !

Mon sourire se fige. La porte vitrée de l'entrée s'entrouvre… Papa ? Une silhouette furtive se glisse dans le studio. Non. C'est Mme Gardel, la mère de Zita. Après un petit signe de tête à Fabiola, elle va s'asseoir sur le banc. Elle vient souvent chercher sa fille. Elle surveille ses progrès. Elle a de la chance, Zita !

Mon moral dégringole d'un coup.

Jeune, blonde et gaie, Mme Gardel me rappelle ma maman… Je respire à fond. Je dois penser à autre chose. Non, pas à autre chose : à danser.

– Au milieu ! s'écrie Fabiola.

– Je peux mettre mes nouvelles pointes ? demande Zita.

– Si tu veux... !

La prof fait un clin d'œil à sa mère :

– Après, bonjour les ampoules !

Mme Gardel répond par un sourire poli. On s'assied par terre pour changer de chaussons. À Noël, j'en commanderai des neufs, aussi beaux que ceux de Zita ! Papa aura retrouvé un travail, à Noël. Peut-être...

Zita attache les rubans, bien serrés derrière la cheville, et elle se lève. Je murmure :

– Tes chaussons te font mal ?

– Pas encore ! rit-elle en s'élançant vers le bac à colophane[1].

Elle cambre un pied, puis l'autre, pour attraper un peu de cette résine.

– N'exagère pas, recommande Fabiola, ou tu ne pourras plus tourner.

Zita marmonne :

– Je sais, je sais.

---

1. *Colophane* : résine jaune, solide, qui s'écrase en poudre blanche, avec laquelle on frotte les bouts des chaussons (ou les archets de violon), pour ne pas glisser.

Et elle monte sur les pointes. Elle a un cou-de-pied magnifique, Zita ! C'est vachement beau à voir. Elle s'amuse à déambuler à droite, à gauche, pour « casser » ses chaussons… Mais notre prof tape dans ses mains :

– Allez, la récréation est finie.

On se dépêche de se placer au milieu – les pieds en cinquième position, les bras en première – selon nos places habituelles. Je suis devant avec Zita, parce que nous sommes les meilleures de la classe. On se sourit dans le miroir, toutes les deux. Et Fabiola Elssler déclenche la musique. Le rythme lent d'un adage remplit le studio.

« Ça doit être chouette d'avoir un vrai pianiste… Un bonhomme en chair et en os qui sait vous accompagner, accélérer ou ralentir, suivant le cas. »

Ce privilège est réservé à l'Opéra, ou aux grandes écoles. Ici, c'est plus ringard ! Mais ça ne nous empêche pas de danser…

Au fond du miroir, une mince silhouette arrondit les bras et développe en même temps la jambe à la seconde. Dans l'échancrure de son justaucorps, un cœur d'or étincelle. Elle est belle, je trouve, avec son visage de faon.

C'est Nina Fabbri.

C'est moi !

Fin de la leçon.

Révérence. Joues écarlates, cheveux s'échappant des chignons en frisons rebelles, décolletés qui luisent de transpiration... on a bien travaillé ! Je suis contente. Maintenant, on va finir en saluant notre professeur avec autant de panache que si on se trouvait sur scène, après une représentation ! Fabiola Elssler est notre première spectatrice.

Une seconde de silence.

Nous nous plaçons en cinquième position, le visage tourné vers le miroir. Port de bras, rond de jambe à terre, soutenu, révérence. Les notes qui jaillissent du lecteur de cassettes sont si tristes qu'un crocodile en sangloterait. Et moi, j'ai un coup de cafard. Au fond, c'est triste, la fin de la leçon, surtout quand on pense en même temps :

« Pourvu que Papa vienne payer... »

À vrai dire, il devrait déjà être là. Mon espoir de le voir apparaître vacille et tangue ; il est sur le point de sombrer. La musique se tait, mais on garde la pose, jusqu'à ce qu'on entende :

– Merci, les filles.

Alors, on se relâche d'un coup et on déguerpit vers le vestiaire. Mme Gardel s'est levée et Fabiola s'approche d'elle, main tendue. La chance ! Elles vont se faire des politesses et bavarder. À moi d'en profiter !

Je remets mes chaussettes par-dessus mes collants, mon pull et mon jean sur mon justaucorps. Je passe ma doudoune.

– Hé, tu m'attends ? s'écrie Zita. Maman te raccompagnera en voiture.

– Non, merci... excuse-moi, mais...

J'endosse mon sac d'un coup de reins :

– Il faut vraiment que j'y aille.

Je colle un baiser sur la joue de Zita.

– Salut !

Et je décampe à toute allure.

– Tu pourrais dire au revoir, non ? proteste Marion-Polochon.

Je ne réponds pas.

Comme une voleuse, je me glisse derrière les deux dames qui discutent ; je me précipite dehors. La porte vitrée se referme dans mon dos avec un tintement léger.

4

Une bonne nouvelle et... une mauvaise !

– Papa ?

Personne ne répond. L'appartement est vide. Je répète : « Papa ? » pour meubler le silence. Depuis que Maman n'est plus là, je n'aime pas beaucoup rentrer à la maison.

Tout à coup, je me sens glacée. Une fois dans ma chambre, j'essaie de me réchauffer en me blottissant sur mon lit, un fouillis de couette et d'oreiller. J'ai oublié de le faire avant de partir, ce matin.

Je ferme les yeux. Je serre très fort la main sur le médaillon, sous mon tee-shirt.

« Tout ça, c'est un cauchemar, Maman va revenir… elle est encore là… »

Souvent, je joue à ce jeu. Je fais comme si on était avant. Et ça marche. Déjà, j'ai l'impression de sentir un parfum de jasmin, le pas de Maman résonne dans le couloir. Elle pousse la porte, elle entre dans la pièce :

– Nina…

J'ouvre les yeux. Papa. Je le regarde sans bouger. Il fronce les sourcils :

– Tu aurais pu m'attendre, petite sotte ! Quand je suis arrivé chez la mère Elssler, elle m'a dit que tu venais de partir.

En me redressant, je balbutie :

– Alors… tu as…

– Oui, j'ai payé ! Elle ne m'a pas raté, cette grippe-sou !

Je saute du lit pour m'accrocher au cou de mon père :

– Merci.

– Dans la rue, j'ai rencontré Mme Gardel aussi, poursuit-il, et elle t'invite à l'Opéra, samedi, pour voir un ballet.

La magnifique nouvelle ! Pétrifiée par la joie, je bredouille :

– Oh ! Papa… c'est génial.

Et j'ajoute, étonnée :

– Zita ne m'en a pas parlé.

– Elle n'était pas au courant. Sa mère comptait vous faire la surprise après le cours...

– Super !

J'en cabriole :

– Tu te rends compte... je vais voir danser les étoiles... et il n'y a rien de mieux... pour progresser !

– Progresser... ? grommelle Papa. Si tu veux mon avis, tu ferais mieux de progresser en mathématiques !

Ça y est ! Sa manie le reprend : me faire croire que les maths – et les études – sont plus importantes que la danse. Quelle idée !

– Tu sais bien que je veux devenir...

– Oh ! arrête avec ça, m'interrompt-il sèchement. Tu m'énerves ! Et viens à la cuisine. On va dîner.

Je le suis, tête basse. Inutile de discuter ! Je mets la table, tandis qu'il prépare un potage en sachet. Tout en le touillant avec une cuiller en bois, il me sourit :

– Ça te va, des vermicelles au bouillon de poule... ma Bichette ?

Voilà ! C'est bien une réaction de Papa ! Il

est d'une humeur de chien et, brusquement, il se transforme en agneau !

« Olivier, tu es impossible... » disait Maman. Mais elle le disait avec des paillettes joyeuses dans les yeux. Elle l'aimait, quoi ! Lui aussi. Il l'appelait « Mon Aurore... » et c'était beaucoup plus joli que s'il avait dit « Chérie... ».

Je lui souris :

– J'adore le bouillon de poule.

– Tant mieux ! Tiens, j'ai acheté du jambon, là, dans ce paquet rose, mets-le sur une assiette.

– J'adore le jambon... aussi.

Ma joie me revient d'un coup ! L'Opéra... un ballet... lequel, au fait ? Je déroule le papier d'un geste preste :

– Elle t'a dit ce qu'on allait voir, Mme Gardel ?

– Je ne lui ai pas dem...

Driiing ! Le téléphone lui coupe la parole ! Je me précipite...

– N'y va pas ! m'arrête Papa en lâchant sa cuiller. C'est sûrement pour moi.

J'obéis. Et je me mets à tourner la soupe à sa place... tout en tendant l'oreille. Je réussis à attraper des bribes de conversation :

« Oui… d'accord… je me dépêche… je la fais dîner… »

C'est moi… *la* ? Sans doute. Ce ne peut être que moi ! On dirait que mon père parle d'un bébé ou d'un animal familier. Je n'apprécie pas. Merci bien ! Je ne suis pas *la*… ! Je suis Nina. Sa fille. Je remplis la carafe d'eau. Quand je referme le robinet, Papa est revenu.

Il ne me regarde pas en face.

– Écoute, Bichette…, dit-il en coupant le gaz sous la casserole. J'ai une invitation… euh… imprévue.

– Tu me laisses… alors ?

Il fait un pas, me caresse la joue :

– Non, je ne te laisse pas. Je te tiens compagnie jusqu'à ce que…

– Je sais. Tu *la* fais dîner.

Interloqué, il ne répond pas. Je pose la carafe sur la table avec bruit :

– Mais je n'ai plus six mois, tu sais, je peux dîner seule… si ça t'embête de rester avec moi !

– Bichette… !

Il a l'air dans ses petits souliers :

– N'interprète pas les choses de travers, marmonne-t-il.

Silence. On n'entend plus qu'une goutte,

insistante, qui tapote au fond de l'évier. Papa finit par m'attraper la main :

– Tu sais…

Je le regarde dans les yeux. Et j'en ai le souffle coupé. Il va me dire quelque chose… quelque chose d'effrayant, je le vois.

Et j'ai raison. J'entends :

– … J'ai rencontré une jeune femme…

Ma bouche s'ouvre démesurément. Je vais crier. Non. Je n'émets aucun son.

– … je crois que c'est sérieux, achève-t-il.

Moi, je le pousse de toutes mes forces, je pars en courant, je ferme à la volée la porte de ma chambre, je claque la targette. Et je me mets à sangloter.

– Maman…

5

La Bayadère

Ce doit être ça, un « sujet tabou » !

Depuis l'autre soir, Papa et moi n'avons pas reparlé de cette « jeune femme ». Il vaut mieux. En ne la nommant pas, j'ai l'impression de l'empêcher d'exister pour de bon. J'espère que mon père s'est trompé et que ce n'est pas « sérieux ». Qui sait ? Peut-être qu'elle finira par s'effacer de notre vie, tel un dessin raté supprimé de la page d'un coup de gomme.

Enfin… on verra !

Mais pour l'instant, je suis à mille kilomètres de la copine de Papa. Je me trouve à l'Opéra ! Au palais Garnier, plus précisément. Et j'en oublie tous mes tracas. Parmi une foule de spectateurs, dans une rumeur de conversations qui s'entrecroisent, Zita et moi, nous montons le grand escalier, à pas lents, comme si on portait des robes du soir à traîne.

« Un jour, ce sera pour me voir danser que des gens grimperont ces marches de marbre... » Et, trop impatients à l'idée de m'applaudir, ils n'auront pas un regard pour le bronze des statues, le porphyre des balustrades ou le cristal des torchères... tout ce luxe qui n'est rien à côté de l'arabesque parfaite d'une grande ballerine !

– Les filles !

À la voix de Mme Gardel, derrière nous avec son mari, on se retourne en même temps. Elle fouille dans son sac :

– Arrêtez-vous là, je vais vous faire *un* photo.

On obéit, mais moi, je me mordille les lèvres pour ne pas pouffer. Malgré des années passées en France, Mme Gardel confond toujours le masculin et le féminin : elle est anglaise, et elle a un accent adorable.

– Ne pince pas *le* bouche, Nina, *please* !

Là, j'éclate de rire. Le flash jaillit.

– Elle sera réussie, déclare M. Gardel.

Et sa femme ajoute :

– *Une* souvenir du ballet *La Bayadère.*

Je ne ris plus, je dis tout bas :

– C'est génial.

Qu'ils sont gentils, les Gardel ! Ils sont venus me chercher à la maison et, après le spectacle, j'irai dormir chez eux. Zita m'a prêté un chouchou doré pour entortiller mon chignon. C'est la fête, quoi !

– Le programme ! Demandez le programme... ! lance un type en habit noir, campé sur le palier.

Sortant un billet de sa poche, M. Gardel lui achète un exemplaire de la pile qu'il a sur les bras.

– Pour vous, les filles ! dit-il.

J'aime bien quand les parents Gardel nous appellent « les filles », comme si nous étions vraiment sœurs. Zita s'empare du programme – un joli cahier plein de photos. Et j'entends son père lui chuchoter :

– Tu l'offriras à Nina, après.

Alors, brusquement, j'ai l'impression d'être ici par charité. Parce que je fais de la peine aux Gardel. C'est vexant, presque douloureux. À leurs yeux, je suis la pauvre petite Nina Fabbri, on dirait. Je déteste cette idée. Ma gorge se serre.

Mais non !

Je redresse le dos et je lève le menton. Je ne suis pas une « pauvre petite », je suis une future étoile. Voilà. Je le veux. Et je réussirai.

Ça va mieux.

Je peux sourire à Zita comme si de rien n'était. Mais, son programme... qu'elle n'insiste pas ! Je le refuserai.

Super ! Nous sommes à l'orchestre. À la troisième rangée. Le meilleur endroit pour regarder un spectacle, paraît-il.

Mais je me tourne, tête levée, les yeux braqués en direction du poulailler[1] – au dernier étage – que certains appellent aussi le paradis. Quand j'ai commencé la danse, ma mère m'a souvent emmenée voir des ballets. On montait tout là-haut.

« Est-ce qu'un peu de nous deux y est resté caché, impalpable... ? »

---

1. *Le poulailler* : dans un théâtre, les places les moins chères et très haut perchées.

S'il s'y trouvait encore les ombres d'une maman blonde et de sa petite fille aux yeux noirs… ? Pourquoi pas ? Ça se pourrait ! Quand, pour mieux voir, je me penchais par-dessus la rambarde, elle me retenait en me serrant par la taille. Et, soudain, je sens presque la pression de ses mains fermes contre ma peau.

Je vais pleurer…

– C'est la lumière du lustre qui te pique les yeux ? chuchote Zita.

Je reste muette. Elle ajoute précipitamment :

– Tu as vu le plafond ? Il est peint par Chagall[1].

– Je sais.

En faisant un gros effort, je réussis à sourire. La lumière baisse, tout doucement. L'obscurité envahit la salle. Le chef d'orchestre entre dans la fosse, monte au pupitre, salue le public – qui répond par des applaudissements polis. Puis, c'est le silence. Celui de l'attente. Les yeux écarquillés, je retiens mon souffle. Comme dans mon rêve. À ce moment, la musique éclate, ample et douce à la fois. Je la reconnais. Zita

1. *Marc Chagall* (1887-1985) : peintre et graveur français d'origine russe.

aussi, qui me donne un coup de coude ! On entend parfois ce morceau au cours ; Fabiola a la cassette. Et une espèce de douceur me coule dans les veines. La vraie vie est restée dehors, dans la nuit, avec ses soucis, ses chagrins et son vilain crachin ! Mais une autre vie s'éveille devant moi, lumineuse, bouleversante ; le rideau se lève sur elle. Je m'en remplis les yeux.

Un temple hindou, une jungle mystérieuse et un faux éléphant. Dans ce décor de carton-pâte et de toiles peintes, l'amour tragique du prince Solor et de la Bayadère est prêt à naître et à mourir sous le soleil des projecteurs. Les interprètes vont le danser pour nous. Ils ne peuvent pas savoir que je danserai avec eux, sans bouger de ma place. À l'intérieur de moi.

– C'est génial..., murmure Zita.

Je suis glacée ; l'émotion, le bonheur, l'étonnement... et je me contente de hocher la tête. La Bayadère est morte, piquée par un serpent dissimulé dans un panier de fleurs par sa rivale. La colère des dieux s'abat sur le temple...

Alors, de la nuit noire, émergent les « Ombres » dans leurs tutus blancs. Elles se suivent et s'inclinent l'une après l'autre en arabesque penchée, se renversent en cambrés. On dirait une brume de fantômes. C'est trop beau ! La chair de poule me hérisse la peau. Le jour où je danserai aussi bien... ! Pour en arriver là, j'ai encore des années de travail !

La lumière se rallume et la salle croule sous les applaudissements. Je hurle bravo en même temps que Zita. J'applaudis à en avoir mal aux mains. Plus légère qu'une libellule, l'étoile vient saluer. Révérence... comme nous au cours. Enfin... presque ! Son partenaire lui baise la main, puis salue avec elle.

Le rideau se referme et ondule. Mais, d'entre ses plis écarlates, l'étoile seule surgit. Elle nous fait une dernière révérence. Moi, je ferme à demi les paupières... et j'imagine... à sa place... Nina Fabbri...

On lui lance un bouquet. Elle disparaît.

– Nina ?

Je sursaute. Zita se met à rire :

– Réveille-toi, on s'en va !

Je murmure :

– Dommage...

Pourquoi les choses belles passent-elles si vite ?

6
Chez Zita

Oh ! là là ! que je suis fatiguée !

J'ai à peine la force d'aider Zita à sortir le lit gigogne qui est glissé sous le sien, pendant que Mme Gardel prend dans le placard une couette à housse rose et un gros oreiller assorti.

– Tu n'auras pas froid ? Tu veux que j'aille te chercher *un* couverture en plus, Nina ? demande-t-elle.

– Oh ! non, merci, il fait très bon ici.

Beaucoup plus chaud que chez moi ! La chambre de Zita ressemble à une boîte de bonbons anglais, avec ses rideaux vert pomme, ses coussins multicolores et sa moquette framboise. On y est bien !

– Alors, si tu n'as besoin de rien, je vais me coucher.

Sur ces mots, Mme Gardel nous embrasse l'une après l'autre en disant « *Good night, sweetie* », et elle nous laisse. La porte fermée, on se met en pyjama à la vitesse grand V. Une fois blottie sous sa couette, Zita bâille genre hippopotame :

– Dooors bien, Ninaaa.

– Je te parie que je vais rêver du ballet toute la nuit.

– Moi aussi...

Elle ferme les yeux. Je me couche. Mais, tout à coup, c'est drôle, je n'ai plus sommeil du tout. Je me redresse sur un coude :

– Tu sais...

Elle entrouvre un œil vitreux :

– Quoi ?

– ... J'aimerais bien apprendre la variation des « Ombres »... Si on demandait à Fabiola de nous la montrer ?

Zita balbutie :

– Elle la connaît, tu crois ?

– Bien sûr ! Et ce serait génial de la danser... hein ?

Silence. Je chuchote :

– Tu dors ?

Pas de réaction de Zita. Je pousse un soupir. Elle s'est endormie. J'éteins la lampe, je me pelotonne au chaud, les yeux clos, quand, brusquement, sa voix incertaine résonne dans la pièce :

– En fait... je vais... quitter le cours Elssler, bredouille-t-elle.

Je pousse un cri :

– Qu'est-ce que tu dis ?

Pas de réponse. Je rallume. Mais, ce coup-ci, Zita dort pour de bon. Je regarde avec stupeur son visage immobile. Je n'y comprends plus rien.

– Debout, les filles !

Je m'assois dans le lit. Vêtue d'un peignoir rose, Mme Gardel entre dans la chambre et va ouvrir les rideaux. Un rayon de soleil traverse les carreaux et caresse la joue de Zita qui entrouvre les paupières.

Sa mère demande :

– Vous avez bien dormi, les chéries ?

On clame « Oui », bien que moi... j'aie à peine fermé l'œil.

– Le breakfast est prêt, venez vite !

Mme Gardel ouvre le placard pour y prendre une robe de chambre écossaise :

– Tiens, Nina, mets ça.

J'enfile le lainage moelleux en souriant à Mme Gardel. J'aimerais bien lui dire combien c'est génial, chez elle, mais je crains de m'emberlificoter dans les mots. Je me tais, donc. Zita se tait aussi, tout en se brossant les cheveux devant la glace. Nos regards s'y croisent comme dans le miroir du cours ; j'en ai un coup au cœur. Le cours...

Si Zita le quitte... ça signifie, peut-être, qu'elle arrête la danse ! C'est impossible ! Elle ne peut pas me faire ça !

Alors, à peine assises à table, dans le living-room, je murmure :

– Dis... c'est quoi, cette histoire ?

À cet instant, on entend claquer la porte d'entrée et M. Gardel apparaît, une baguette sous le bras et un sac de croissants à la main.

– Je me suis dit que Nina n'appréciait peut-être pas le porridge, Ann.

Sa femme proteste :

– Voyons, Jean-Philippe, c'est délicieux, *la* porridge !

Elle en dépose une pleine assiette devant Zita. Ce truc grisâtre… ! Je bredouille :

– Excusez-moi, mais je préfère… euh… un croissant.

– Qu'est-ce que je disais ? triomphe-t-il.

Trois minutes après, les viennoiseries posées sur un plat, le pain coupé en tranches dans un panier, et les pots de confiture ouverts, on commence à déjeuner. Ça sent bon ! Le thé fume dans les tasses.

Si je ne pensais pas à ce que m'a dit Zita, ce serait le bonheur. Elle, tête baissée, avale sa mixture anglaise. Elle est embêtée, j'ai l'impression. Et, la dernière bouchée liquidée, elle jette un coup d'œil à sa mère en marmonnant brusquement :

– J'ai raconté à Nina, pour le cours.

– Tu as bien fait.

Silence. M. Gardel beurre une tartine, l'air absorbé ; comme s'il voulait se tenir en dehors de tout ça. Je regarde sa femme :

– Alors… c'est pour de vrai… ?

Ma voix trébuche et bute sur les mots :

– Zita arrête la danse ?

Un cri :

– Je n'ai jamais dit ça !

Je balbutie :

– Mais… si tu quittes Fabiola…

– C'est pour aller ailleurs, Nina, dit doucement Ann Gardel.

Ailleurs ! La bombe ! Elle a explosé en plein milieu de la table. Je suis en mille miettes. Zita me quitte pour danser… ailleurs ! Et moi, je vais rester entre Chloé, Kelly et Marion-Polochon, ces nullités !

– T'inquiète pas, on continuera à se voir, Nina, me console Zita.

– Mais on ne dansera plus ensemble !

Il y a un silence gêné. Je finis par chevroter :

– Pourquoi tu ne m'en as pas parlé ?

– Nous n'étions pas sûres.

C'est sa mère. Elle me regarde en face :

– Fabiola Elssler n'est pas une mauvaise prof, mais Zita ne fait plus de progrès avec elle. Il faut passer à la vitesse supérieure.

Je hoche la tête :

– D'accord, je comprends.

Soudain, j'ai un de ces cafards ! Je murmure :

– Et tu vas aller… où ?

– À l'école Camargo, répond Ann Gardel.

C'est une école privée prestigieuse. Je dis tout bas :

– Génial.

– Attends ! Je n'y suis pas encore, proteste Zita. Pour y entrer, je dois passer une audition.

Elle la réussira – sûr et certain ! Je m'écrie :

– C'est comme si tu y étais !

– Ne vendons pas la peau de l'ours, dit M. Gardel en sortant de son mutisme prudent.

Mine de rien, il s'intéresse à la question ! Il ne doit pas se faire tirer l'oreille pour payer les cours... lui ! Elle a du bol, Zita...

– En tout cas, si tu es prise, ce sera *une* changement de vie *complète*, poursuit Ann Gardel en couvant sa fille du regard.

Je hausse un sourcil :

– Pourquoi ?

– J'irai danser tous les jours, répond brusquement Zita.

Un cours quotidien (ou même plusieurs) ! La veinarde... la veinarde ! Je demande d'une voix blanche :

– Et le collège ?

– Zita suivra sa scolarité par correspondance, m'annonce son père.

Je suis écrasée par cette avalanche de nouvelles. J'ai l'impression que Zita monte dans un train et qu'elle m'oublie sur le quai. Elle va se mettre à travailler pour de bon. Moi, je vais rester un amateur. Voilà. C'est clair. À moins que...

Je m'écrie :

– Et si je m'inscrivais avec toi à l'école Camargo ?

– Tu crois que ton papa t'y autoriserait ? s'informe Ann Gardel.

– Sûrement !

Dans ses yeux clairs, je vois passer une espèce d'ombre.

– Tu sais, dit-elle à mi-voix, c'est une école très chère.

Quel coup sur la tête ! Il m'étourdit et pulvérise tous mes espoirs. S'il faut payer, c'est fichu ! Quoique... si mon père retrouve un travail... ?

À cet instant, le téléphone sonne. Mme Gardel va répondre, et revient avec un message pour moi :

– C'était ton papa, justement, il viendra te reprendre à midi.

Je murmure d'un ton déçu :

– Déjà ?

7
Le Cygne noir

À midi, l'interphone grésille. Ann Gardel va répondre. C'est bien mon père ! Quelle barbe ! Il arrive à l'heure, pour une fois – pile le jour où j'aimerais qu'il soit en retard ! Zita et moi, on était en train de regarder la vidéocassette du *Lac des cygnes*[1], et sa mère coupe le son :

– Descends vite, Nina, il t'attend en bas.

Je murmure :

– Il aurait pu monter.

Ç'aurait été la moindre des politesses ! La

1. *Le Lac des cygnes* : ballet prestigieux de Marius Petipa et Lev Ivanov, créé à Saint-Pétersbourg en 1895, sur une musique de Piotr Ilitch Tchaïkovski.

désinvolture de Papa m'embarrasse, mais Mme Gardel ajoute :

– Il ne pouvait pas, il est garé en double file.

J'en reste coite : nous n'avons pas de voiture. Alors... pourquoi mon père a-t-il inventé cette excuse ? Tout à coup, j'ai une mauvaise impression. Et Zita éclate de rire :

– Tu en fais, une tête !

– Non, mais...

Mais... quoi ? Je ne sais pas. J'ai envie de pleurer. Je récupère mon sac à dos. Ann Gardel m'embrasse :

– Reviens quand tu veux, Nina. C'est *ton* maison, ici.

Je l'embrasse aussi, la gorge nouée. Jean-Philippe Gardel – le cuistot de la famille –, entortillé dans un tablier et enveloppé d'effluves d'ail, de tomates et d'huile d'olive, surgit de la cuisine où il mitonnait un poulet basquaise :

– La prochaine fois, tu restes tout le dimanche, O.K. ?

Je bredouille des mercis et je grimace des sourires. À vrai dire, je sais exactement ce qu'a dû ressentir Cendrillon aux premiers coups de minuit.

– Attends, je t'accompagne jusqu'en bas, dit Zita.

Dédaignant l'ascenseur, on dévale l'escalier quatre à quatre. On pousse la porte cochère. Mon père m'attend sur le trottoir :

– Dépêche-toi, Nina !

À peine le temps de dire au revoir à mon amie – qui repart aussitôt en sens inverse – et j'attaque :

– C'est quoi, cette histoire de double file ? Pourquoi tu racontes n'importe quoi ?

– Il s'agit de l'exacte vérité, figure-toi.

Il me prend par le bras :

– Écoute, Bichette... Quelqu'un nous attend là, dans cette R 5 bleue. (C'est sa voiture.) On va aller déjeuner tous les trois.

Je répète :

– Quelqu'un ?

Et j'ai l'impression que deux poings énormes m'écrasent les côtes. Je peux à peine respirer. Papa m'entraîne vers le véhicule. Au volant, il y a une femme blonde.

C'est elle !

La copine de Papa...

La « jeune femme » avec qui c'est « sérieux »... L'intruse ! Elle existe pour de bon. Elle a des yeux verts, des cheveux maigrelets serrés dans un élastique et elle s'appelle Odile. Je déteste ce prénom. Et, dans le vacarme du McDo où on a échoué, tous les trois, nous tâchons de faire connaissance.

Quand je dis « nous »...

Elle tâche de faire connaissance ! Moi, je ne vois pas pourquoi je lui raconterais ma vie. Je réponds à ses questions par des monosyllabes, tout en mâchonnant avec application mes nuggets. Mon père m'encourage du regard, comme si j'étais en train de passer un examen. Il a quelque chose de suppliant dans les yeux. La crainte que je fasse mauvais effet sur son Odile ? Justement, c'est ce que je cherche ! Si je lui suis antipathique, cela me paraîtra un compliment. Je n'ai pas envie de plaire à ceux qui me déplaisent. Et elle me déplaît. Il est assis à côté d'elle ; leurs bras se frôlent. Ça m'exaspère. Même, ça me dégoûte. Je m'en étouffe presque avec une bouchée.

– Tu as faim, on dirait ? plaisante-t-elle sans finesse.

– Non.

Mon ton hargneux ne la dérange pas. Elle poursuit :

– Ton papa m'a beaucoup parlé de toi, Nina...

J'aboie :

– On se demande pourquoi !

Mon père a un rire factice :

– Voyons, ma Bichette !

– Bichette ? répète Odile.

Espèce de perroquet déplumé, va ! Elle me sourit :

– C'est un joli diminutif... Bichette.

Une bouffée de chaleur me brûle les joues, je jette d'une voix stridente :

– Je vous interdis de m'appeler comme ça !

Ma voix déraille. Je baisse les yeux. Papa chuchote :

– Excuse-la, Odile.

– Non. C'est à moi de m'excuser, dit-elle avec calme. J'ai peut-être été indiscrète.

La voilà qui fait l'aimable... cette grande nouille ! Et mon père rame pour détendre l'atmosphère :

– Alors, Nina, c'était bien, *La Bayadère* ?

Je réponds d'un ton bref :

– Génial.

Il se tourne vers Odile :

– Nina adore la danse, tu sais.

– C'est vrai ?

Elle paraît sincèrement étonnée ; je n'en reviens pas. Si mon père lui a « beaucoup parlé » de moi, sans évoquer ma passion numéro un... que lui a-t-il dit ? Je ne vois pas !

– Elle en fait depuis l'âge de neuf ans, continue-t-il. Elle se débrouille bien.

J'esquisse un vague sourire.

– J'avoue que je n'y connais rien, remarque Odile, mais il paraît que c'est difficile.

Je riposte :

– Si c'était facile, ce ne serait pas intéressant.

Ils éclatent de rire. Sans raison, à mon avis. Ma phrase n'est pas drôle. Mais, redevenu sérieux, Papa m'effleure la main :

– Ne prends pas la danse trop à cœur, Nina ! Il ne s'agit que d'une distraction.

Je m'écrie :

– Tu sais bien que non !

Aux tables voisines, des gens se retournent. Odile prend un air gêné. Tant pis pour elle !

Me penchant vers mon père, je plante mon regard dans le sien :

– Je serai danseuse. Je te l'ai dit mille fois.

– Écoute, Bichette, soupire-t-il, on en reparlera. De toute façon…

– De toute façon… quoi ?

Il me lance :

– Pour faire le métier de danseuse, il est préférable d'entrer à l'École de danse de l'Opéra. Et tu as raté le coche – malheureusement.

Comme giflée, je me tais. Il a de ces mots ! J'ai « raté le coche ». Oui. « Malheureusement ». Oui. Pour une horrible raison : Maman est tombée malade quand j'allais me présenter à l'École. Tout a été brouillé, abîmé, chamboulé. Depuis, j'essaie de reconstruire notre projet, cahin-caha, tant bien que mal. Et on ne peut pas dire que mon père m'aide beaucoup. Au contraire.

Je lui décoche un regard plein de rancune. Je l'aime, oh ! oui, je l'aime, mais il y a aussi des moments où je le déteste. Maintenant – par exemple. Je dis d'une voix précipitée :

– Il n'y a pas que l'École de danse de l'Opéra, figure-toi. Et je suis encore assez jeune pour entrer ailleurs !

– Tu as treize ans, c'est ça ? s'informe aimablement Odile.

Comme si elle l'ignorait ! Je grommelle :

– Pas encore. Dans quinze jours.

Elle m'adresse un sourire mielleux :

– Il faudra fêter ça.

– Bonne idée ! s'écrie Papa.

Elle minaude :

– J'organiserai une petite fête...

Non mais ! de quoi se mêle-t-elle ? Je ne suis pas encore sa belle-fille, que je sache ! Elle ajoute :

– D'accord, Olivier... ?

Je tressaille, parce qu'elle prononce le prénom de Papa. Et loin, très loin, je crois entendre la voix de Maman, comme un écho tout faible : Olivier... Mais plus jamais il ne lui répondra « Mon Aurore ». Plus jamais. Maintenant, il va dire « Odile ». Voilà. Comme si Aurore n'avait jamais existé. Et il le dit :

– D'accord, Odile.

Et il lui sourit. Et il lui prend la main. Et il la porte à ses lèvres. Je devrais crier, renverser la table, ou tout casser. Je ne bouge pas, parce que je viens de faire le rapprochement.

Odile...

Je sais pourquoi ce prénom me déplaît autant. Odile est la méchante du *Lac des cygnes.* Celle qui vole l'amoureux d'Odette, le Cygne blanc. C'est l'usurpatrice.

Le Cygne noir !

8
Au fond du cœur

Ouf ! Enfin à la maison !

Quel cauchemar, ce déjeuner !

Après le McDo, j'ai dit que je voulais rentrer – en métro s'il le fallait. Mais Odile a insisté pour me déposer en voiture au pied de l'immeuble, et Papa est reparti avec elle. Bon débarras !

Je claque la porte. Le bruit de mes semelles réveille l'appartement abandonné. Je me dis :

« S'ils se marient, est-ce qu'elle viendra s'installer ici ? »

L'horreur ! Je ne pourrai pas le supporter ! La voir dans la chambre de Maman, au fond de sa baignoire, ou face à son miroir. Non ! J'appelle à mi-voix :

– Maman... ?

Et mon cœur s'enfle de larmes. Je m'assieds sur mon lit. J'ai mal à la tête, tout à coup. Je défais mon chignon d'un geste machinal, mes cheveux dégringolent sur mes épaules ; une boucle me caresse la joue. C'était toujours Maman qui me coiffait. On parlait, toutes les deux, à ce moment-là. Et j'ai envie de parler avec elle, à cet instant.

J'écarte mon col de chemise et je sors le médaillon. Un instant, je le garde au creux de ma paume, puis je fais jouer le mécanisme. Dedans, entortillée, il y a une mèche blonde. Je la regarde, j'y touche du bout de l'index. Délicatement.

Contre mon talisman, le Cygne noir ne peut rien !

Et cela me rassure.

Je reste un long moment, comme ça. Sans bouger. Les yeux fixés sur les cheveux de Maman. Un petit baiser. Je referme le médaillon. Je sais ce qu'il me reste à faire, maintenant.

Je dois me battre pour ce que j'aime. Et je me battrai. Jusqu'au bout.

– Zita-a-a !

Sautant par-dessus la tête des passants, ma voix ricoche jusqu'au petit chignon noir de ma meilleure amie – qui pile net et se retourne. Je la rejoins à toutes jambes :

– Ça alors... !

Nos bisous claquent.

– Tu viens quand même au cours, aujourd'hui ?

– Oui. Pour faire des « adieux corrects » à Fabiola, comme dit Maman.

Et je m'aperçois que Zita porte sous le bras une boîte de chocolats. Je demande :

– Même avec un cadeau, la prof va peut-être faire la tête, tu ne crois pas... ?

– C'est son problème. De toute façon, ma mère l'a déjà avertie, la dernière fois, que je finissais cette semaine.

Silence. On repart. Je finis par dire, presque timidement :

– C'est quand, ton audition chez Camargo ?

– Dans dix jours, le samedi 6 novembre.

Je pousse un cri de stupeur :

– Le jour de mon anniversaire !

– Oh ! c'est bête ! s'exclame Zita.

– Pourquoi ?

Elle me prend par le bras :

– Maman voulait t'inviter à la maison. Mais si c'est le jour de l'audition…

Raté ! Fichu ! Vais-je être obligée de m'appuyer la « petite fête » d'Odile… ? Pas question ! Je murmure :

– Écoute… ça me rendrait service…

– Quoi ?

Écarlate – c'est gênant de réclamer –, j'achève :

– Si tu m'invitais… quand même ?

– Moi, je veux bien, mais je serai très tôt chez Camargo…

– Ça ne fait rien. Je me mettrai dans un petit coin. Je ne te dérangerai pas.

Un… deux… trois ! Je prends une profonde goulée d'air – Tu as juré de te battre, bats-toi, Nina ! – et j'ajoute :

– Dans le fond, je pourrais peut-être même la passer avec toi… l'audition !

Zita me regarde avec de grands yeux :

– Alors… ton papa est d'accord ?

– Je lui en parlerai après. Je le mettrai devant… le fait accompli !

Cette expression me plaît. Si je suis prise,

mon père s'inclinera. D'ailleurs, il a beaucoup à se faire pardonner. Il sautera sur l'occasion !

– Tu sais, Nina…

Zita paraît bien réticente, tout à coup :

– Pour passer l'audition, l'autorisation des parents est obliga… m'annonce-t-elle.

Je l'interromps avec véhémence :

– M'en fiche ! J'imiterai sa signature !

– Et il faut payer cent cinquante francs[1]… aussi, ajoute-t-elle.

Non ! Cent cinquante francs ! Je n'oserai jamais les réclamer à Papa. Mais je tâche de rire :

– Dis, ça fait combien en euros ?

Zita ne rit pas. Elle pousse la porte du cours. Je la suis comme un zombie.

Aujourd'hui, la danse ne m'a pas consolée.

Tout s'est mélangé dans ma tête, le Cygne noir, l'audition, et les cent cinquante francs. Du coup, mes pieds se sont mélangés aussi. J'ai mal dansé. Je rentre à la maison très mécontente de moi. Une leçon ratée ne se rattrape jamais. En

---

1. *Franc* : monnaie avant 2002 en France.

plus, Fabiola s'est permis d'ironiser : « Ce n'est pas ton jour ! » Une façon de se venger sur moi de la défection de Zita, je parie. Je l'ai haïe pendant tout le cours. Mais, à la fin, elle a ouvert la boîte de chocolats, et elle en a offert un à chacune ; j'ai vu qu'elle était triste, ça m'a serré le cœur. J'ai eu honte de mes mauvais sentiments. Quand on est prof, ce ne doit pas être marrant de voir partir un élève.

Oh ! là là ! que la vie est compliquée !

J'ouvre la porte de chez moi.

– Nina ?

Tiens ! Papa est là, assis au salon dans le fauteuil vert épinard aux accoudoirs râpés, que je connais depuis toujours. Il lâche son quotidien. La page « Emplois » est toute gribouillée de rouge. Sur la table, il y a une pile d'enveloppes prêtes à être postées à d'éventuels employeurs. Ce tableau me déprime.

Sur un bref « Bonsoir », je m'apprête à filer dans ma chambre, quand mon père me hèle :

– Bichette…

Je soupire :

– Quoi ?

– Viens ici. Il faut qu'on discute sérieusement, dit-il.

De quoi ? Du Cygne noir, je parierais ! Depuis dimanche, il a évité le sujet. Et il doit croire que c'est le moment, maintenant, de me reparler de sa chère Odile. Mais, la mine butée, je fais trois pas dans la pièce et j'interroge d'un ton hautain :

– Il faut qu'on discute... de quoi ?

– S'il te plaît, murmure-t-il, ne prends pas ton air de princesse outragée. C'est déjà assez difficile pour moi... tout ça !

– « Tout ça » ?

Il s'énerve :

– Oui. Ma vie. Notre vie. La mort de ta mère. Mon licenciement. Et, maintenant, cette... euh... rencontre... !

Il me tend la main. Je fais semblant de ne rien voir, même, je croise les bras dans le dos.

– Je ne m'y attendais pas, chuchote-t-il. J'étais dans le gris, dans le noir, et tout à coup, je retrouve toutes les couleurs de la vie, le rouge, le bleu, le jaune..., tu comprends ?

Mes lèvres sont sèches, je les humecte d'un coup de langue avant de répondre :

– Oui. Je comprends. Tu devrais travailler chez un droguiste, au rayon pots de peinture.

C'est lourd, c'est méchant, c'est bête ! Je baisse la tête.

– Bichette… dit-il tout bas.

Je relève les yeux. Il me sourit, d'un drôle de sourire un peu de travers. J'ai envie de l'embrasser. À cet instant… le « Driiing » du téléphone ! Le Cygne noir, à tous les coups ! Je ne bouge pas. Papa va répondre dans le couloir. Et j'entends :

– Allô ? Oui, c'est moi, bonsoir, madame…

« Madame » ? Il ne s'agit pas d'Odile, alors ? De qui… dans ce cas ? J'écoute… mais, pareil à un rideau qu'on tire, il n'y a plus qu'un immense silence, troué par les « Hum… Hum… » de mon père. Il raccroche, revient à pas lents au salon :

– C'était Mme Gardel. Elle t'invite le jour de ton anniversaire. Dis donc, elle s'y prend plutôt à l'avance !

J'ouvre des yeux comme des soucoupes. Je pense « Oh ! merci, Zita ! ». Elle comprend tout, mon amie ! Et Papa ajoute :

– Elle t'offre un cadeau, aussi…

Je balbutie :

– Quoi ?

– Une audition à l'école Camargo. Je ne sais

pas ce que vous avez concocté, toutes les deux, mais il paraît que Zita et toi, vous…

Je n'écoute pas la suite. Je fonds brusquement en larmes.

– Voyons, Bichette !

Il me prend dans ses bras :

– Qu'est-ce qu'il te prend ? C'est très gentil de sa part !

Je bredouille :

– Justement…

C'est trop… gentil et affectueux… c'est trop… tout ! En reniflant, je me serre contre Papa, si fort que le cœur d'or s'enfonce doucement dans ma peau. Et dans la sienne aussi, j'espère.

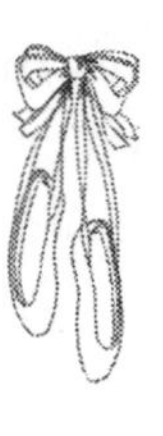

9

Bon anniversaire !

La musique éclate.

Je pique de la pointe. Mais… je ne peux pas… je ne peux plus danser !

– Maman !

Et je me réveille, transie. La couette a glissé. Je m'y pelotonne… et, brusquement, je me souviens…

– Mon anniversaire !

C'est aujourd'hui ! Nous sommes le 6 novembre. Et c'est aussi la date de… l'audition ! Alors, vif comme un chat, le trac me saute dessus. Pour lui échapper, je remonte la couette sur ma tête. Inutile ! Ses griffes m'agrippent à la gorge. Il me ronronne méchamment à l'oreille :

« Camargo… Camargo… Camargo… »

Mon cœur s'emballe et j'entends :

– Nina ?

Mon père… déjà levé ? Incroyable ! Il frappe à ma porte :

– Viens, j'ai préparé ton petit déjeuner.

Ça alors ! C'est une grande première. Vite ! Pantoufles… robe de chambre… et je m'élance à la cuisine. Habillé à la diable, les cheveux encore dans tous les sens, Papa chante à pleine voix :

– Bon anniversaire… mes vœux les plus sincères…

Et, craquant une allumette, il allume la bougie plantée dans un pain au chocolat, posé sur une assiette. J'essaie de rire. Je réussis un petit gargouillis.

– Allez, souffle-la, dit Papa.

Je me penche.

– Oh !

Je n'avais pas remarqué que la minuscule bougie est enfoncée sur un socle, orné du chiffre 13 peint en doré et d'un chausson de danse rose bonbon !

– Oh ! Papa ! J'adore.

J'ai admiré mille fois ce petit sujet chez la boulangère. Je n'ai jamais osé réclamer qu'il l'achète. Mon père me regarde :

– Même si tu ne passes pas la journée ici, j'ai voulu marquer le coup, dit-il avec son sourire un peu de travers. Treize ans…

Soudain, il chuchote :

– Je ne peux pas croire, Nina, que tu sois déjà si grande.

Ah ! non ! S'il continue sur ce ton, je vais pleurer ! Et il n'est pas question que j'arrive à l'audition avec des yeux bouffis. Alors, je gonfle les joues comme un ballon et je souffle de toutes mes forces. La flamme s'éteint. Sur un éclat de rire, Papa met le lait à chauffer. Moi, après avoir regardé le « petit sujet » sous toutes ses coutures, je mords dans le pain. Il est encore chaud. Un bon goût de chocolat tiédi me remplit la bouche.

Le lait a bouilli. Mon père le verse dans mon bol, sur une cuillerée de cacao.

– Il faut que tu prennes des forces avant l'audition, dit-il.

– Tu as raison.

Je l'enveloppe d'un regard plein d'espoir. Il commence à comprendre, on dirait.

– Mais, ajoute-t-il, je m'explique mal ton obstination à vouloir te présenter dans cette école, comme ça… pour la gloire.

J'en reste baba. Pour la « gloire » ? C'est-à-dire juste pour me faire voir, comme ça, sans chercher un résultat ? Ma pauvre Nina, ça s'appelle un retour à la case départ ! Non. Papa n'a RIEN compris. Papa ne comprend rien. Papa ne comprendra peut-être jamais ! Et qu'est-ce qu'on peut dire à quelqu'un d'aussi… bouché ?

Je m'écrie :

– S'ils disent que je suis bien, si… si…

– Si… quoi ? m'interrompt-il.

Je lâche d'une traite :

– À ce moment-là, tu me donneras la permission d'y entrer pour de bon !

Il s'assombrit :

– N'y compte pas. Je n'ai pas le premier sou pour payer une école pareille.

– Mais si tu retrouves du travail !

– Encore un si ! remarque Papa en haussant les épaules.

Il s'assoit en face de moi :

– Cesse de rêver à l'impossible, ma Bichette, amuse-toi bien en dansant. Point.

Ma parole ! Il est aussi bête que Marion-Polochon ! Inutile de discuter. Je bois mon chocolat, yeux baissés, dans un silence de plomb. Je finis mon pain. Il n'a plus de goût. En partant m'habiller, je dis avec un sourire forcé :

– Je te remercie pour tout, Papa.

Mais je laisse le « petit sujet » sur la table de la cuisine. Exprès.

10

L'école Camargo

Le rendez-vous est à 9 heures devant notre immeuble. Mais, moi, j'attends les Gardel depuis 8 h 45. Plantée comme un piquet sur le trottoir, je n'ai pas chaud, et je les guette – l'esprit plein d'images affreuses. La voiture d'Ann est :

– en panne
– percutée par un camion
– arrêtée par la police
  (rayer la mention inutile).

Ou bien Zita :

– n'a pas pu se réveiller
– a eu une crise de nerfs

– s’est tordu la cheville
(*idem*).

Les minutes tournent, galopent, et s’emballent. L’audition est à 10 heures. Je vais la rater ! Le trac me suffoque. À cet instant… Les voilà ! La voiture stoppe en double file. J’y suis en trois bonds, avec l’envie de rire, de chantonner, tout à coup, ou plutôt… de danser ! Je m’engouffre à l’arrière.

– Ça va, *mon* chérie ? demande Ann Gardel en redémarrant.

– Super !

Je l’adore ! Cette journée, je la lui dois. Assise devant, Zita se retourne :

– Bon anniversaire, Nina !

– Merci.

Bizarre ! Elle est aussi verdâtre qu’une rondelle de concombre, ce matin. Je murmure :

– Et toi… ça va ?

– Non. J’ai vomi toute la nuit.

– L’appréhension, explique sa mère. Mais ça ne sert à rien de se mettre dans *une* état pareil.

Du coup, Zita rougit :

– Si tu crois que c’est marrant !

– Mais c’est *le* vie ! Qu’on danse ou pas, on joue tout le temps à quitte ou double, dans *le* vie ! On se bat pour trouver un travail, *une* amoureux... ou *un* place de parking !

Zita et moi, on se met à rire. Quoique... sans grande envie ! Maintenant, je me dis : « Si jamais j'ai une crampe au pied, ou si je ne comprends rien aux enchaînements ? » Mme Gardel se faufile dans la circulation, sourcils froncés :

– N'en faites pas *une* drame ! Si vous n'êtes pas prises à l'école, *le* terre ne s'arrêtera pas de tourner.

– Si ! répond Zita.

Elle a raison ! Mais ceux qui ne dansent pas sont incapables de nous comprendre. On échange un regard complice. Ça va mieux ! C'est chouette d'être à deux pour affronter un moment difficile !

À quelques pas de la Seine, au numéro 5 de la rue Gît-le-Cœur, dans le Quartier latin, sur une porte cochère peinturlurée en bleu de Prusse, la plaque de cuivre brille. Elle annonce :

ÉCOLE CAMARGO

J'en ai les jambes en coton. Ann Gardel appuie sur le bouton de la porte cochère. Zita et moi, on pousse à pleins bras le lourd battant qui s'entrouvre. On pénètre dans la cour pavée d'un vieil hôtel particulier en forme de U. Il a des murs noirs, un toit d'ardoise qui descend en casquette sur une volée de marches, en face.

– *Ce* maison date sûrement du XVIIIe siècle, nous indique Mme Gardel.

Qu'est-ce qu'on s'en fiche des détails historiques ! Des notes de musique s'égrènent derrière la porte vitrée, à gauche.

– Oh ! *Mummy,* c'est déjà commencé ! s'écrie Zita.

Sa mère la rassure :

– Mais non ! Il y a des cours dès 8 heures du matin, ici.

On s'écrie en même temps :

– Génial !

– Un endroit où on danse toute la journée !

C'est le paradis sur terre, à mon avis ! On entre dans le vestibule étroit. Et on sursaute en même temps à un « Ouaaah ! » hystérique.

– Merci *la* comité d'accueil ! plaisante Ann Gardel, en s'adressant à un petit chien blanc frisotté.

Décidé à nous empêcher d'approcher du bureau où trônent un ordinateur et un téléphone parmi un fourbi de papiers entassés, il aboie de plus belle.

Il est campé sous une photo géante, en noir et blanc, apposée sur le mur du fond. Dans le tutu du Cygne blanc, une ballerine brune est arrêtée en arabesque. Je murmure :

– Elle est superbe.

– C'est qui ? demande Zita.

Sa mère chuchote :

– Mme Natividad Camargo, bien sûr, la directrice de l'école. C'est une ancienne étoile des Ballets du marquis de Cuevas[1].

– Tu l'as vue danser, toi ?

– Voyons, Zita, j'étais trop petite ! Ce cliché date des années 50.

Ouille ! Autant dire la préhistoire ! Elle doit être vachement vieille, Mme Camargo.

– Ouaaah ! fait l'animal, scandalisé.

J'éclate d'un rire nerveux, qui l'exaspère. Il s'égosille. Au même moment, une bonne

1. *Les Ballets du marquis de Cuevas* : compagnie de ballets qui eut une grande notoriété de 1944 au début des années 60.

femme entre deux âges, et plutôt mal ficelée dans une robe informe, apparaît au tournant de l'escalier en colimaçon.

– Quel boucan ! Tu vas te taire, Coppélia ?

Elle descend les dernières marches, s'empare de la bestiole (qui se tait) et va s'asseoir derrière le bureau en grommelant.

– Je vous écoute.

Mme Gardel lui sourit :

– Nous venons pour l'audition. Voici Zita et Nina.

– Bien sûr ! s'écrie-t-elle. Je vous attendais.

Et la porte vitrée s'ouvre sur un grand courant d'air. Deux ou trois filles de notre âge entrent comme chez elles, sac au dos ou en bandoulière. Elles lancent à tue-tête :

– Salut, madame Suzette !

– Bonjour... Julie... Victoria... Amandine !

– Et le chien... ça va, le chien ?

Aboiements de Coppélia. Elles rient, elles plaisantent, elles disparaissent dans l'escalier. Qu'elles sont à l'aise !

– Vous allez faire le cours avec elles, nous annonce la dame de confiance, puisque vous vous présentez en milieu d'année – en dehors de l'audition officielle qui est déjà passée –, c'est la meilleure façon pour Mme Camargo de voir ce que vous valez, et si elle vous garde... ou pas.

Brusquement étranglées par le trac, on hoche la tête en chœur, Zita et moi.

– Courage... chuchote Mme Gardel.

J'effleure furtivement le médaillon. Oui. On a besoin de courage. Et de tas d'autres qualités. Confiance en soi, maîtrise, musicalité, mémoire... sans parler du reste : jambes, pieds, dos, bras, expression, etc. Oh ! là là ! Pourquoi faut-il tant de conditions pour danser joliment, alors que l'envie de danser est tellement naturelle ? Mais ce n'est pas le moment de réfléchir à cette question...

– Allez vous changer au vestiaire, dit Mme Suzette. Au premier étage, troisième porte à gauche. Le cours de Maître Torelli commence dans un quart d'heure.

Ann Gardel lui décoche son plus joli sourire :

– Maître Torelli ? *Une* grand monsieur de la danse ! Est-ce que je peux assister à *le* leçon ?

– Ce n'est pas dans les habitudes de la maison, madame, riposte sèchement l'autre. Nous sommes dans une école pour professionnels, pas dans un cours de quartier !

Quel dragon ! Zita lui jette un regard noir. Sa mère rosit. Là-dessus, la porte bat une fois de plus. Entre une fille de treize ou quatorze ans aux immenses cheveux blonds, maintenus par un serre-tête rouge, assorti à sa doudoune.

– Salut, madame Suzette ! s'écrie-t-elle.

– Bonjour, Alice. Tiens, emmène donc ces petites au vestiaire avec toi. Ça leur évitera de se perdre.

– Oh ! Y a pas de danger ! répond-elle avec désinvolture. On n'est pas au château de Versailles !

Zita se met à rire. Pas moi. Je trouve que cette Alice prend des grands airs avec nous. N'empêche ! Bien obligées de la suivre. Dans notre dos, Mme Gardel nous lance :

– Je reviens vous chercher à midi, les filles !

Et il me semble que sa voix tremble un peu…

11
Chez les Vertes

Alice monte en tête, d'une démarche de reine. Derrière, nous avons l'air de suivantes intimidées. Au premier étage, désignant une porte fermée, elle indique :

– Ici, à droite, vous avez le studio Bozzacchi[1]...

Elle se rengorge :

– À l'école, les studios ont des noms de danseurs célèbres.

Comme si elle y était pour quelque chose !

– Là, c'est le vestiaire des garçons, poursuit-elle.

---

1. *Giuseppina Bozzacchi* (1853-1870) est la créatrice de *Coppélia*.

On passe devant un battant entrebâillé d'où s'échappent les voix en zigzag de ceux qui muent, et celles, déjà graves, des plus âgés.

– Est-ce qu'ils font le cours avec nous ? s'enquiert Zita.

– Ça dépend.

Bon. On entre dans un vestiaire de filles, une dizaine qui s'habillent au milieu de sacs avachis et de vêtements pendouillant aux patères ou jetés sur la moquette. Il est tôt, mais l'air est déjà imprégné d'une odeur indéfinissable, cuir des chaussons, transpiration et effluves d'eau de Cologne… l'odeur de la danse ! Ça sent bon.

– Ben voilà, vous y êtes ! lance Alice.

Une maigrelette au long nez lui chuchote :

– C'est des « nouvelles » ?

– Pas encore, répond-elle. Elles passent juste une audition.

Autrement dit, on ne fait pas partie du club ! Alice est une chipie ! Zita lui jette un coup d'œil qui veut dire : « Attends un peu… » Et quelques regards curieux se braquent sur nous. Pas longtemps ! Entre les murs bleu ciel du vestiaire, ça cancane ferme. À demi dévêtue, une petite blonde est le centre de l'attention :

– Si j'suis ici, c'est un miracle !

– Pourquoi ?

– J'vous dis pas ! À peine j'ouvre un œil, la paralysie !

– Tu rigoles ?

– Y a pas de quoi rigoler, figure-toi !

Avec un trémolo dramatique :

– Je vais pour me lever : impossible de bouger ! s'écrie-t-elle.

– Non !

– Si !

– C'est l'horreur !

Alice demande :

– Alors... qu'est-ce que t'as fait, Flavie ?

– Je pleurais... je pleurais...

Moi, j'ai plutôt envie de rire. En me mordant les lèvres, je fais sauter mes baskets et j'arrache mes chaussettes. Puis, je me tortille pour ôter mon jean. Je repêche mon justaucorps au fin fond de mon sac à dos ; et, soudain, je le trouve vraiment moche, vieilli et fané. Un bref regard alentour... Les « Camargo » enfilent toutes d'impeccables tuniques vert d'eau. Je murmure à Zita, qui a trouvé une petite place sur le banc encombré et s'est assise pour mettre ses collants :

– C'est un uniforme... ou quoi ?

– Oui. Ici, chaque classe porte un justaucorps de couleur différente. Tu ne le savais pas ?

– Non. Mais c'est joli.

Je me dis : « Quand les élèves sont ensemble, ça doit ressembler à une palette de peintre... » Et une envie violente me serre la gorge : danser dans cette école. Oui. C'est l'endroit où je veux travailler. Mais... est-ce que j'y arriverai ? Je n'en sais rien.

Alors, je pense très fort :

« Maman... »

Elle doit m'aider. Et elle va m'aider. J'y crois.

Je suis comme ça : mes pensées font plus de bruit que la voix des autres. Si je réfléchis, je n'entends plus rien. La guérison de Flavie m'a échappé ; je ne saurai jamais comment elle a été « déparalysée ». Tant pis ! Je mets mes demi-pointes. Et une sonnerie grelottant à travers toute l'école me colle le frisson.

– C'est l'heure, me dit Zita.

Tout à coup, elle est aussi verdâtre que dans la voiture. Je chuchote :

– Tu te sens bien ?

– Super... et toi ?

– Génial.

Elle a un petit sourire :

– Tu es blanche comme un lavabo.

Je jette un coup d'œil au grand miroir qui prend tout un pan de mur et, entre les têtes des Vertes, j'aperçois un fantôme aux yeux écarquillés. Moi.

Dans le vestiaire, il y a une soudaine ébullition. Alice nous lance :

– Vous venez ?

Embarquant nos pointes et nos cache-cœurs, on se précipite dehors avec les autres. C'est la ruée vers l'escalier et l'étage au-dessus dans un piétinement feutré de chaussons.

12

Dans la cour des grands

La porte du studio Nijinski[1] est grande ouverte. On entre.

– Bonjour le froid ! râle Flavie. D'ici qu'on attrape la crève…

Une Verte se moque :

– Fais gaffe, après une paralysie, ça tue !

– Arrête, idiote ! proteste l'ex-éclopée, épouvantée.

J'enfile mon cache-cœur ; c'est vrai qu'il ne fait pas chaud, dans le studio, mais qu'il est

1. *Vaslav Nijinski* (1889-1950), danseur russe d'origine polonaise. Le plus grand danseur de son époque, célèbre pour ses sauts prodigieux.

chouette ! Ceinturé par les barres, et agrandi par les immenses miroirs où il se reflète, il me paraît vraiment magnifique sous son éclairage au néon. Deux étroites fenêtres apportent un peu de jour gris. Dans un angle, il y a la silhouette noire d'un piano droit. Je chuchote à Zita :

– Tu as vu ? On danse avec un vrai pianiste, ici !

Pas de réponse. Ahurie, je regarde à droite et à gauche. Zita est déjà à la barre, derrière Alice qui fait des grands pliés en attendant le professeur. Je m'élance pour la rejoindre, une fille m'écarte :

– C'est ma place.

Mon amie me fait un geste fataliste (genre : « Je n'y peux rien »). Mais j'ai le cœur gros. Son sourire d'excuse ne me console pas. Pour l'audition, j'avais envie de danser avec elle. À côté. Tout près. C'est raté ! Je vais ailleurs. Une des Vertes me pousse :

– Pas ici.

L'autre me bouscule :

– Pas là.

La troisième regimbe :

– Ne te gêne pas !

Chacune défend son territoire, son petit bout de barre habituel, son coin. Je me retrouve au milieu, bras ballants, à l'instant où, un bâton sous le bras – comme un professeur de l'ancien temps –, un petit homme maigre à l'extraordinaire crinière blanche fait irruption dans la salle. Maître Torelli. Pétrifiée, je le regarde avec de grands yeux. Alors, il a été célèbre, adulé, acclamé… ? Il a dansé les plus beaux personnages de l'histoire du ballet ! Face à lui, je me sens bien peu de chose. Les Vertes s'écrient :

– Bonjour, Maître.

Et j'en fais autant.

– Bonjour, les enfants, répond-il.

Son regard d'épervier se pose sur moi.

– Je ne te connais pas, toi.

– Non, Maître. Je viens pour l'audition.

– Bien. Dans ce cas, je t'ai à l'œil !

J'en frémis de trac.

– Mais qu'est-ce que tu fiches plantée là ? poursuit-il. Tu as perdu quelque chose ?

Un éclat de rire général balaie la classe. Je rougis :

– Je n'ai pas trouvé de place, surtout.

– Attends, je m'en charge.

De son bâton, il fait reculer une fille et avancer une autre :

– Ici, petite, entre Victoria et Julie.

Et je me faufile à l'endroit indiqué en balbutiant merci. Mais Maître Torelli me tourne déjà le dos : il vient d'apercevoir Zita.

– Toi aussi, tu passes l'audition ?

La réponse de Zita intimidée est brouillée par l'apparition d'un drôle de bonhomme. Le pianiste ! Génial ! Il va nous changer des cassettes asthmatiques de Fabiola Elssler ! Avec ses lunettes rondes, ses cheveux plats et son air lunaire, il ressemble à l'accompagnateur de la Castafiore. Il fait tellement artiste maudit que je parie qu'il n'a pas besoin de partitions ! Pourtant il en traîne un plein cartable, qu'il ouvre d'un revers de main pour s'emparer de l'une d'elles ; elle est en lambeaux.

Il s'assoit derrière le piano. Et ce geste semble fouetter Maître Torelli, qui s'écrie :

– Fini de rigoler !

Il est très-très-très vieux, d'accord, mais il a une pêche d'enfer ! Il frappe le sol de son bâton. Ça me fait frissonner. Étranglée par le trac, je serre le bois de la barre – comme un porte-bonheur.

– Au boulot, les « Pavlova[1] » ! Deux demi-pliés, un grand plié, un cambré sur demi-pointes, dans toutes les positions… On y va, monsieur Marius !

Le pianiste plaque les accords. C'est parti ! La main gauche sur la barre, les filles ouvrent avec grâce le bras droit. Et, tout à coup, j'ai l'impression d'être entrée furtivement dans la cour des grands. Cette fois-ci, je ne vais pas danser avec des amateurs à moitié nuls, mais des apprenties professionnelles. Qu'est-ce que je suis contente ! La musique s'échappe du piano, sautille jusqu'à moi, m'attrape par la main.

Concentre-toi, Nina ! Tu dois te forcer, te dépasser… ! Tu dois prouver à tous que tu es une danseuse. Une vraie. Une (future) étoile.

On est encore au début de la barre – on fait des battements jetés – quand la porte

1. *Anna Pavlova* (1882-1931), danseuse russe créatrice de *La Mort du cygne*, dont le nom est devenu un synonyme de talent chorégraphique. Exemple : « C'est une Pavlova. »

s'entrouvre. Une grande femme brune se glisse dans le studio, la chienne Coppélia sous le bras. Le Cygne blanc de la photo... c'est elle ! en beaucoup, beaucoup plus ridée. C'est Natividad Camargo.

Maître Torelli lui fait un sourire. Elle s'assoit sur une chaise, le dos droit comme une planche et les pieds en première position. Altière dans son pull rouge et son pantalon de jersey, ses cheveux noir corbeau tirés en chignon... quel âge a-t-elle ? On ne sait pas trop. Peut-être qu'elle n'en a plus. Elle a dû décider un jour de s'arrêter quelque part entre cinquante-deux et soixante-cinq ans.

Elle nous regarde, une à une, tout en remontant machinalement le chien qui glisse de ses genoux, et ses yeux vigilants s'arrêtent sur Zita...

« Après ce sera à moi ! »

La frousse ! Mais, jetant un coup d'œil dans la glace, je vois luire le médaillon, sur ma peau. Et je m'applique.

13

L'heure H

Le temps passe.

Les aiguilles de la pendule tournent inexorablement. Il est presque midi. La leçon est sur le point de finir. Maintenant, on fait une diagonale de piqués sur pointes et des déboulés. J'adore. J'en profite. Dans cinq minutes, ce sera terminé. Plus de magie ! Il restera juste cette question inquiétante : qu'a pensé de moi Mme Camargo ?

Pour l'instant, tout en nous regardant, elle grattouille les oreilles de Coppélia qui commence à s'agiter – comme si elle savait que ça tire à sa fin ! Maître Torelli dit :

– Révérence, monsieur Marius, s'il vous plaît.

Et la chienne saute des genoux de sa maîtresse. Une fois par terre, elle nous contemple en remuant la queue. Le pianiste joue quelques mesures d'un Chopin[1] très doux, délicat. Après le rond de jambe à terre, on salue en s'agenouillant. Et on reste là, prosternées devant Maître Torelli.

– Merci, mes enfants.

On se relève.

– Merci, Maître.

Il nous sourit. C'est drôle... l'espace d'un éclair, il a l'air jeune, comme si nous étions les admiratrices qui l'acclamaient après un ballet, autrefois. Il s'incline vers nous avec cérémonie. Mais lorsqu'il relève la tête, il est redevenu le vieil homme de tout à l'heure. Calant son bâton sous le bras, il va serrer la main de M. Marius. Rideau. Mme Camargo se lève. Et Coppélia aboie frénétiquement.

---

1. *Frédéric Chopin* (1810-1849), pianiste et compositeur polonais de père français, ses compositions sont souvent utilisées pour accompagner la danse classique.

– Elle veut son sucre, Serge, dit-elle à Maître Torelli.

– Je sais, Nati !

Il fouille dans sa poche.

– La papatte, ma jolie.

La bestiole obéit, puis croque à grand bruit la friandise. C'est marrant ! Je tends la main pour la caresser ; elle me renifle les doigts, mais :

– Zita Gardel et Nina Fabbri, lance Mme Camargo, je vous attends dans mon bureau d'ici dix minutes.

On bredouille : « Oui, madame » ; on s'en va avec les autres. En sortant, je jette un dernier coup d'œil au studio pour grappiller un petit souvenir. Son plancher terne est strié par les traces blanches de la colophane, mystérieux hiéroglyphes dessinés par nos chaussons. Ils racontent nos efforts, et notre bonheur fugace…

Penchés l'un vers l'autre, Maître Torelli et Natividad Camargo parlent à mi-voix. De nous. De Zita et de moi. Je le sais. Et, en arrêt, Coppélia nous regarde. Dans ses poils blancs, ses prunelles ont l'air de deux morceaux de réglisse.

Au vestiaire, on se déshabille vite fait. Mme Camargo nous attend. Ce n'est pas le moment de traîner ! Mais j'ai les jambes qui tremblent ; en ôtant mes chaussons, je manque de m'étaler et je m'assieds sur le banc à côté de Flavie, pour enlever le reste. Elle se pousse d'une demi-fesse en gémissant :

– La vache ! J'ai les pieds en compote.

– Et après ? Tu n'as qu'à retourner chez la sorcière qui a guéri ta paralysie ! se moque Alice.

Une sorcière ? Voilà donc la solution de l'énigme ! J'en reste ahurie, mes collants à la main. Mais Flavie proteste :

– T'as rien compris, andouille ! C'est juste une voisine qui impose les mains.

– C'est bien ce que je dis : une sorcière ! insiste l'autre en se dépiautant de tunique et collants.

– Non, elle a le don. Voilà tout !

Sortant de son sac une serviette et la boîte d'une savonnette, Alice la toise :

– On s'en fiche, de toute façon !

En boutonnant son gilet, Zita lui sourit, comme si elle partageait son avis. Ma parole ! Elle la trouve sympa… !

J'enfourne les pieds dans mes baskets, en murmurant :

– J'arrive, Zita, attends-moi !

– Dépêche…

– Salut ! lui dit Alice. Et peut-être à lundi.

Pas un regard pour moi ! Un peu vexée qu'elle m'ignore, je passe à toute allure mon sweat-shirt. Lorsque je sors la tête de l'encolure, Alice, entortillée dans sa serviette, se dirige vers la douche située sur le palier.

– Qu'est-ce qu'elle est coquette, celle-là ! ironise Victoria en croquant dans un carré de chocolat.

Après l'effort, cette brunette aux yeux ronds a besoin d'un petit réconfort, on dirait !

– Je ne suis pas coquette, je suis propre, moi. Nuance ! riposte Alice à la cantonade.

Amandine et Julie s'indignent :

– Te gêne pas ! Dis qu'on est crados !

Pour toute réponse, la porte à glissière de la douche claque avec impertinence. Zita éclate de rire. Je lui jette un regard étonné. Est-ce qu'elle trouve Alice drôle… aussi ?

– Allez, viens ! me dit-elle.

On dit au revoir. Certaines nous répondent, d'autres pas. Et on s'en va.

– Les chéries !

En nous voyant apparaître dans l'entrée, Ann Gardel se lève d'un bond de sa chaise. Les trois ou quatre mères qui attendent avec elle nous épinglent d'un coup d'œil pointu. Elle nous embrasse comme si on s'était quittées il y a trois mois, en chuchotant :

– Alors ?

– On saura ça dans cinq minutes..., marmonne Zita d'un ton contraint.

Ça la gêne que sa maman lui saute au cou devant tout le monde ! Et, une seconde, je lui en veux. Mais passons aux choses sérieuses, elle se plante devant Mme Suzette, plongée dans ses paperasses :

– Mme Camargo nous attend dans son bureau, dit-elle.

– Oui. Elle m'a prévenue. Elle recevra en premier la petite Gardel.

Je m'écrie, désolée :

– On ne passe pas ensemble ?

Mme Suzette riposte, sentencieuse :

– Chacun chez soi et les vaches seront bien gardées.

J'en reste muette.

– *Cette* coup-ci, j'accompagne *mon* fille, déclare fermement Ann Gardel.

L'autre lui adresse un sourire mielleux :

– Dans ce cas, il vaut mieux. Ainsi, vous ferez connaissance avec Madame.

Elle tend le bras :

– Le bureau est au fond du couloir, derrière l'escalier, là, au rez-de-chaussée.

Elles y vont. Je reste en plan. Je me sens bête, ou triste. Je ne sais pas. Et puis, ces mères m'agacent qui me regardent de la tête aux pieds, comme si j'étais une poupée en vitrine. Pour leur échapper, je fais trois pas dans le couloir. Ses murs sont couverts de photos et de coupures de presse ; au milieu, le tableau de service – un panneau de liège où est punaisé le programme des cours. Au bout, il y a un distributeur de friandises.

Elle est chouette, cette école ! À chaque seconde, elle me plaît un peu plus. C'est idiot, je ne dois pas m'y attacher. Peut-être que Mme Camargo m'annoncera dans cinq minutes que je suis bien mignonne... mais pas douée ! L'horreur ! Je fais un pas de plus, encore un autre. J'arrive à une porte. Derrière le battant, j'entends l'écho confus d'une conversation. Mme Camargo et les Gardel. Je m'arrête.

– Dis donc..., fait une petite voix.

Je sursaute, comme électrisée. Un garçon de dix ou onze ans me regarde.

– ... Tu écoutes aux portes, toi ?

Je lui jette un regard furieux. Ses cheveux blonds collés au gel, il porte un collant gris, un tee-shirt et des chaussons blancs. Un danseur. Un élève de l'école. Je grogne :

– J'attends. C'est tout.

– T'énerve pas ! Je rigole.

Sans plus s'occuper de moi, il se dirige vers la machine, glisse une pièce ; un sac de bonbons dégringole avec fracas dans le tiroir. Il revient de mon côté en déchirant la cellophane d'un coup de dents :

– Tu en veux un ?

J'accepte. Ce sont des Schtroumpfs. J'adore !

– Merci.

Il me sourit, la bouche pleine :

– Tu vas venir à l'école ?

Je mastique :

– C'est... pas encore... sûr.

– Tu as passé une audition ?

J'acquiesce d'un signe de tête. Il déglutit :

– Au fait, comment tu t'appelles ?

– Nina. Et toi ?

À mâchonner ses Schtroumpfs, il a une bulle de salive bleuâtre à la commissure des lèvres :

– Émile, répond-il.

Il a l'air gentil, ce garçon. Bien différent de ces pimbêches de Vertes ! On se sourit. Et la porte du bureau s'entrouvre.

– Ça va être à toi, me chuchote Émile. Salut, Nina !

Il s'échappe en trois bonds. Les Gardel sortent. Zita a un sourire de pub, sa mère, l'air de flotter sur un nuage. Mon sang se glace ! Elle est prise !

Et moi, et moi, et moi… !

Oh ! mon Dieu, pourvu que…

Je suis près de sangloter ou de partir en courant. Je reste figée. Mme Camargo apparaît sur le seuil :

– Tu peux entrer.

J'obéis, les jambes en accordéon. Elle referme le battant et me regarde. Quelque chose d'amusé ou d'attendri tremblote dans ses yeux d'un brun très clair, presque jaune.

– Bienvenue à l'école Camargo, Nina.

14
Tu ne m'empêcheras pas de danser !

Quelle journée !

La plus belle, la plus étonnante, la plus douce, la plus agréable, la plus… la plus… les mots me manquent. La plus géniale de ma vie !

Reçue à l'école Camargo, et avec Zita ! Le bonheur ! Il me donne envie de danser ! D'ailleurs, je vais danser. Pour de bon. Pour de vrai. Je fais partie de la classe des Vertes maintenant. Lundi à 13 h 30, j'ai ma première leçon de future professionnelle avec Maître Torelli.

Tout cela me trotte par la tête tandis que la voiture d'Ann Gardel se faufile dans la circulation du samedi soir. Après l'audition, je suis allée chez eux ; ils ont fêté mon anniversaire. M. Gardel avait préparé un magnifique gâteau au chocolat ! Mes treize bougies soufflées et la dernière miette avalée, Zita et moi, on leur a fait des spectacles tout l'après-midi. Ils applaudissaient tellement fort que le retraité d'en face est venu se plaindre qu'il n'arrivait plus à se concentrer sur ses mots fléchés ! Qu'est-ce qu'on a ri !

Maintenant, on me ramène à la maison. J'ai l'impression de revenir à mon point de départ. C'est le compte à rebours : 3… 2… 1… 0 ! Je suis arrivée. Et, tout à coup, mon cœur pince.

– À lundi, alors, dit Zita.

On s'embrasse par-dessus le dossier du siège avant. Je murmure :

– Je ne peux pas y croire, c'est trop beau !

Mme Gardel me sourit :

– C'est justement parce que c'est trop beau que tu dois y croire, *mon* chérie.

Je lui jette un regard incertain, mais elle a peut-être raison… après tout ? Tout en tâtonnant d'une main pour ouvrir la portière, j'empoigne de l'autre mon paquet-cadeau, aux papiers bariolés refermés de travers ; les Gardel m'ont offert le justaucorps d'uniforme des Vertes, des collants et des chaussons neufs.

– Merci encore...

Ma gorge se serre. Ah ! non, je ne vais pas pleurer. Du bout des doigts, j'envoie un baiser à Ann Gardel, je saute de voiture et je reste là, sur le bord du trottoir, jusqu'à ce que la voiture ait disparu dans l'embouteillage du carrefour. J'ai froid – tout à coup.

Je claque la porte d'entrée.

– Nina ? interroge mon père.

Je réponds à tue-tête :

– Oui, c'est moi !

Qui ça pourrait être d'autre, d'ailleurs ? Il a de ces questions !

– Oh ! Papa, il faut que je te dise...

En trois pas, je suis au seuil du salon. Et je reste pétrifiée. Odile. Elle est là aussi. Installée dans le vieux fauteuil épinard, comme s'il lui appartenait. Espèce de Cygne noir ! En plus, elle m'adresse un sourire engageant.

– Bon anniversaire, Nina ! s'écrie-t-elle.

Je riposte :

– Merci, mais c'est déjà fait !

Son sourire se fige et devient rictus. Bien fait ! Mon père se lève du canapé où il était affalé :

– Que tu es « hérisson » ! dit-il d'un ton de reproche.

Il me désigne la table dressée, avec une nappe en papier rouge et des fleurs au milieu :

– On t'a préparé une petite fête, Odile et moi.

« Odile et moi ». Ces trois mots me traversent le cœur et me clouent au sol. Une minute, j'en oublie ma journée merveilleuse. Suffoquée, je me tais. Papa grimace un sourire :

– On va dîner.

– Je vais chercher les œufs en gelée, balbutie le Cygne noir en cinglant vers la cuisine.

Des œufs en gelée ? J'adore ! Papa a dû le lui dire. Je le déteste ! Il ouvre notre maison à Odile, et raconte nos petites choses à nous. Je ne sais pas comment on appelle ça. C'est une espèce de vol, en tout cas. Il chipe ce qui m'appartient pour l'offrir à l'autre. Mais, inconscient de ce qui m'étrangle, il fait le jovial :

– Alors, ma Bichette, tu t'es bien amusée... à l'audition ?

« Amusée ». Encore ? Cette bêtise me rend

l'usage de la parole. Je réponds d'une voix perçante :

– Je ne me suis pas « amusée », je suis prise.

– Comment ça ? bredouille-t-il.

– J'entre à l'école Camargo ! Je commence lundi.

À cet instant, vive et affairée, Odile apparaît, portant les œufs en gelée sur une assiette où froufroute un brin de persil. La voix stupéfaite de Papa la stoppe en plein élan :

– Tu entres où, Nina ? Tu commences... quoi ?

Je glapis :

– Je suis acceptée à l'école Camargo. J'y vais lundi. Tu as compris ?

Ma voix vibre dans la pièce presque vide. Ils échangent un regard bizarre. Je comprends qu'ils ont dû beaucoup parler de moi. Silence. Puis, mon père dit :

– Il n'en est pas question.

La douche glacée ! Elle me réveille de mes songes. J'étais tellement contente d'être « reçue » que j'ai oublié la réalité. Il me la rappelle :

– Tu sais bien que c'est trop cher pour moi, ma Bichette.

– Mais tu vas retrouver un boulot, c'est sûr !

– N'empêche…

Il ajoute d'un ton sec :

– Danseuse, ce n'est pas un métier.

Rien à répondre. Il tire un trait sur mes rêves. Pas un métier. Point barre.

– Pense à réussir ton bac, surtout, se permet d'intervenir Odile, toujours plantée sur le seuil avec ses œufs.

De quoi se mêle-t-elle, cette intruse ? Mes joues brûlent, mais je ne lui réponds pas. Ça ne la regarde pas. Je fixe Papa dans le blanc des yeux. Je martèle :

– Tu ne m'empêcheras pas de danser !

Et je m'enfuis hors de la pièce. Au passage, je bouscule le Cygne noir. Bruit d'assiette brisée. Exclamation désolée :

– Les œufs en gelée !

Je claque la porte de ma chambre. Ma vie est un cauchemar.

Au secours, Maman !

15

Quand même !

La musique éclate.

Je pique de la pointe. Mais je ne peux pas… je ne peux plus danser…

Je m'assois sur mon lit.

Une larme dégouline le long de ma joue et me chatouille le coin de la bouche. D'un mouvement brusque, je m'essuie la figure dans l'oreiller. Pleurer ne sert à rien – sauf que ça soulage. D'accord. Mais j'ai d'autres priorités. Je dois agir. Je serre les poings en murmurant :

– Je danserai quand même. Je le jure.

Et malgré eux !

Un jour, je serai l'étoile rêvée. Celle que je vois tout à coup danser devant moi. Elle me ressemble, mais pas tout à fait. Elle est moi ; elle est autre. C'est une grande personne, mystérieuse comme l'avenir. Elle s'envole dans le rayon bleu d'un projecteur, environnée par un tutu blanc – brume qui tournoie. Et, autour d'elle, les applaudissements font la plus belle des musiques…

Du coup, j'ai un petit rire. À côté de ces images-là, celle d'Odile est vraiment fade. Bon sang ! Je ne vais pas me laisser abattre par cette pâle copie du Cygne noir… qui s'incruste, en plus ! Hier, dimanche, elle a passé la journée à la maison. Du coup, j'ai fait la malade, je suis restée couchée, et elle m'a apporté de la tisane. Merci. Je déteste le tilleul. Ça tombe bien. Papa, lui, a déposé tout un chargement de brioches, croissants, etc., sur ma table de nuit. J'ai fait semblant de dormir. Je ne voulais pas lui parler. Mais, après son départ, j'ai tout mangé.

Les heures ont passé, indolentes. J'ai beaucoup réfléchi, au fond de mon lit, dans un fouillis de miettes. Maintenant, lundi matin, je sais ce qu'il me reste à faire.

On frappe à la porte :

– Nina ?

Papa ! Lapin bondissant dans son terrier, je me recroqueville sous la couette. Le battant grince doucement :

– Tu dors, ma Bichette ?

J'émets un grognement affirmatif. Silence embêté de mon père, qui ajoute :

– Ça ne va toujours pas ?

Je balbutie :

– Pas… génial.

– Écoute, il est 11 heures, je file à l'A.N.P.E., je vais sûrement attendre, mais dès mon retour, j'appellerai le médecin.

Je ne réponds pas. Il referme la porte avec précaution. Moi, j'attends, j'écoute, j'épie. Dès qu'il n'y a plus un bruit, je saute du lit. Je me précipite à la salle de bains. Il y règne encore l'humidité moite de l'après-douche ; une serviette en torche s'égoutte sur le rebord de la baignoire – signé Papa. Et sur la tablette du lavabo…

– Ma parole !

Un tube de rouge à lèvres. Incongru, il est posé tout droit. Pas besoin d'être détective privé pour comprendre ! Là, c'est signé Odile ! On dirait un point d'exclamation ajouté à son prénom.

Cet objet me révulse, pourtant... je l'attrape, j'enlève son capuchon doré, je fais sortir le bâton carmin. Une odeur sucrée de graisse et d'additif parfumé me monte aux narines. J'ai envie d'écraser ce rouge, de l'aplatir contre la faïence... Non ! Je sais ce que je vais en faire.

Ils comprendront ainsi que rien ne m'arrêtera, que je danserai...

Quand même !

J'écris ces deux mots en travers de la glace. En appuyant de toutes mes forces. Et je signe – encore plus fort :

Nina Fabbri.

Voilà. Ils sauront à quoi s'en tenir ! Je trouve ça drôlement chouette « Quand même », comme devise. Et ce sera la mienne ! J'ai dit !

L'école Camargo !

En poussant la porte cochère, j'ai l'impression de me mettre à l'abri. Les éclaboussures de musique qui jaillissent des fenêtres font comme une petite pluie très douce. Je me dis :

« Ici, je suis chez moi. »

Et personne ne m'en délogera. Je pénètre dans l'entrée. Mme Suzette détourne le regard de l'ordinateur et Coppélia, en faction, ouvre la gueule pour aboyer… mais… non ! Elle se précipite dans mes jambes en se dandinant, la queue battant à cent à l'heure. Je n'en reviens pas.

– Oh ! elle me reconnaît !

Je me penche pour la caresser. Elle jappe.

– C'est bon signe, crois-moi, dit Mme Suzette.

C'est bête, mais l'accueil de la mascotte de l'école me donne du courage et me console ! Je me relève en souriant. La dame de confiance remarque :

– Dis donc, tu es en avance ! C'est le zèle du premier jour… ?

– Non.

Et je murmure :

– Il faut que je voie Mme Camargo. Absolument. C'est hypergrave.

Aujourd'hui, elle est drapée dans un châle blanc, et de grosses perles alourdissent ses oreilles. Elle est belle, je trouve, même vieille. Assise derrière son bureau, elle est intimidante – plus que samedi. Et, embarrassée, je regarde l'estampe ancienne accrochée au mur : une jolie dame en robe à paniers parcourue d'une guirlande de roses et qui danse, les bras étendus.

– C'est mon ancêtre, précise Madame, Marie-Anne de Camargo[1], mon arrière-grand-tante. Enfin… plus ou moins.

J'en reste médusée. La directrice éclate de rire :

– À part ça… qu'est-ce que tu veux, petite ?

– J'ai un problème.

Soudain, mon cœur bat si fort qu'il m'étouffe. Au lieu des phrases bien tournées, intelligentes et intelligibles que j'ai répétées dans ma tête, je ne réussis qu'un balbutiement incohérent.

Et j'éclate en sanglots.

Mme Camargo m'a donné un mouchoir en papier, deux, trois… puis, elle m'a laissé le

---

1. *Marie-Anne de Cupis de Camargo* (1710-1770), célèbre danseuse française du siècle de Louis XV, d'origine mi-espagnole, mi-italienne, elle était née à Bruxelles.

paquet. En me mouchant et hoquetant, je lui ai tout raconté. Depuis le début. Depuis l'époque, même, où Maman a commencé à m'apprendre la danse, quand j'étais petite. Elle s'y connaissait. Si elle ne s'était pas esquinté un genou dans un accident de mobylette, à dix-huit ans, elle serait devenue ballerine – ai-je expliqué. Là, Mme Camargo a ouvert son tiroir et sorti un deuxième paquet de Kleenex. Mais elle l'a gardé pour elle.

Après, j'ai parlé de Papa, de l'A.N.P.E., du Cygne noir. Je ne savais pas qu'on pouvait tout raconter à une « presque » inconnue. Quoique j'aie l'impression de la connaître un peu, parce qu'elle a dansé des personnages que j'aime. À vrai dire, en ce moment, je me confie beaucoup plus à la fée Lilas[1] qu'à Natividad Camargo.

J'ai tout dit. Je me tais. Comme un petit enfant après un gros chagrin, j'ai des frissons saccadés. Il y a un long silence. La fée Lilas le brise en disant ces mots magiques :

---

1. L'une des fées de *La Belle au bois dormant.* Ballet de Marius Petipa, musique de Piotr Ilitch Tchaïkovski, 1892.

– Nina, je te prends à l'école comme boursière.

Je la regarde, incrédule. Elle doit croire que je n'ai pas compris, car elle ajoute :

– C'est-à-dire qu'ici, tu apprendras la danse gratuitement.

J'en bégaye :

– Et mon pè... pè... père ?

– Je m'en charge. N'aie crainte, je saurai le convaincre.

Elle me sourit :

– Il faut donner aux enfants les moyens de réaliser leurs rêves, tu ne crois pas ?

– Je... je...

Je ne sais pas quoi dire ! Je bredouille merci. Elle m'interrompt brusquement :

– Maintenant, cours t'habiller. Tu finiras par être en retard à la leçon. Et Maître Torelli te notera mal.

– Surtout pas !

Je lui fais une petite révérence et je sors en courant. J'ai envie de crier de joie. Oh ! que je vais bien danser !

Dans le couloir, je bute sur Émile qui revient de la machine à friandises.

– Alors, tu es acceptée, Nina ?

– Oui !

Je suis tellement contente que je lui colle un gros bisou sur la joue. Partie comme ça, je suis même capable d'embrasser Mme Suzette, si ça se trouve ! Emportée par une vague de bonheur, je me précipite vers l'escalier, où s'engouffre...

– Zita !

– Salut, Nina !

Elle s'arrête pour m'attendre, fouille dans son sac.

– J'ai la photo de *La Bayadère,* tu sais, sur l'escalier de l'Opéra...

Elle me la tend. Je regarde le cliché, les yeux élargis.

M. Gardel avait raison : c'est réussi. Qu'elles ont l'air heureuses, ces deux danseuses qui rient ! Ce sont deux futures étoiles. Je le sais. Je pense très fort :

« Tu vois, Maman, je commence à y arriver... »

Et j'effleure le cœur d'or, sous mon pull.

Table des matières

Tu as aimé *Nina, graine d'étoile*
Découvre vite DANSE ! n° 2

avec cet extrait de :
À moi de choisir

… Révérence.

La leçon est terminée. Dommage ! Les dernières notes cascadent du clavier, puis se tarissent. Silence. Nous gardons la pose. Lorsque Maître Torelli dit : « Merci, les enfants », nous nous relâchons d'un coup. Il nous salue bien bas et va serrer la main du pianiste qui se lève, pierrot lunaire à lunettes. Voilà. Tous les rites sont respectés. On peut s'en aller. On ramasse nos affaires jetées sur la barre : guêtres, collants de laine, ou cache-cœurs ôtés dès qu'on a eu assez chaud. On se dirige vers la porte.

Au passage, je jette un coup d'œil au miroir : mes joues sont rouges et le tour de ma bouche très blanc. Bravo ! Ça veut dire que j'ai bien travaillé. Quand mon visage affiche ces deux couleurs, je suis fière de moi ! À mes côtés, Flavie traîne du chausson :

– Qu'est-ce que je suis fatiguée…

Je riposte :

– On l'est toutes, remarque !

– Mais moi, c'est pire.

D'accord. Restons-en là. Je ne vais pas me battre pour le titre de Moribonde n° 1 ! Cela dit, elle est pâle comme un navet. Du coup, honteuse de ma réaction, je lui demande :

– Tu as toujours mal à la tête ?

– Encore plus. Elle tourne. Une vraie toupie.

– Dès que tu mangeras quelque chose, ça ira mieux.

Et je la sème pour rejoindre Zita, coude à coude avec Alice, parmi les autres. À cet instant, la voix de Maître Torelli nous tape dans le dos :

– Nina… Zita… !

On se retourne – presque alarmées. Mais il sourit :

– Vous êtes en progrès, les deux nouvelles.

Un petit soleil m'irradie le cœur. Je bégaye – et Zita aussi :

– Merci, Maître.

Un compliment de Maître Torelli ! C'est comme les « félicitations » dans les collèges pour gens normaux. En progrès. Ces deux mots me donnent envie de danser. Encore et encore. Aujourd'hui, demain, après-demain... Toujours !

Je dévale l'escalier comme si je portais des chaussons à ressorts. On pénètre dans le fouillis bruyant du vestiaire. Les « Roses » – les grandes – s'y rhabillent aussi en papotant. On se faufile parmi elles jusqu'au coin où nos affaires sont entassées. On s'affale sur les bancs. J'échange un sourire radieux avec Zita. En progrès. Et Julie lance à la cantonade :

– Quelquefois, « Pappy » Torelli, il dit vraiment n'importe quoi !

Peste, peste et repeste ! Je ne lui réponds pas, car Flavie réclame d'une voix mourante :

– Laissez-moi une petite place...

Victoria se moque :

– Une « petite place » pour la dame aux camélias, une !

On se pousse. L'éternelle éclopée se case entre Zita et moi, appuie la tête au mur. Ma parole ! Ce n'est pas de la comédie. On dirait une fleur qui manque d'eau.

– Tu veux un sucre ? propose Alice.

– Ouiii…

– Attends, j'en ai dans mon sac ! s'écrie Élodie.

Et Amandine s'affole :

– Hé ! T'évanouis pas !

– Nooon…

Bruit de papier qu'on dépiaute. Flavie tend une main diaphane. Puis elle croque le sucre, qui crisse sous ses dents.

– Méfie-toi, persifle Julie, ça colle des caries.

Celle-là ! Elle n'en rate pas une ! Je la fusille du regard :

– Le jour où tu diras un truc sympa…

Elle m'interrompt :

– Toi, mêle-toi de tes oignons… la boursière !

Quel mépris ! J'en ai le souffle coupé. Mais Zita réagit à ma place. Ses sourcils noirs se rejoignent en un V menaçant.

– Et alors ? dit-elle. C'est plutôt flatteur, d'obtenir une bourse.

L'autre ricane :

– Moi, ça me gênerait.

– T'inquiète… réplique Alice. Ça ne risque pas de t'arriver.

Tout le monde a compris le sous-entendu, mais Julie insiste bêtement :

– Pourquoi ?

La réponse claque.

– Tu n'es pas assez bonne.

Je n'en reviens pas. Alice prend ma défense ! Mais est-ce bien pour moi... ou juste pour embêter Julie ? En tout cas, elle a tapé dans le mille. Verte de rage, Mlle Langue-pointue bredouille :

– Cause toujours ! De toute façon, t'y connais rien... grande saucisse !

Et elle nous tourne le dos en faisant semblant de fouiller dans son sac... On ne voit plus que son maigre chignon blond, ses épaules frêles et, dans l'échancrure de sa tunique, sa colonne vertébrale qui affleure.

Elle est laide, je trouve. Du coup, j'en ai presque de la peine pour elle. Mais pas le temps de couper les cheveux en quatre : Mme Suzette fait son apparition sur le seuil.

– Nina, dit-elle, il faut que tu m'aides, tu sais, pour les enveloppes.

La tuile ! J'avais complètement oublié !

– Juste une petite demi-heure, et tu pourras rentrer chez toi.

– O.K., j'arrive.

Lorsqu'elle est partie, Julie se retourne vers moi :

– T'es boursière... ou bonniche ?

Je réponds du tac au tac :

– En tout cas, je suis moins moche que toi !

Silence de mort. Les autres sont stupéfaites. Et moi, j'ai honte. Je me sens mesquine. Mais j'ai marqué un point. Julie se tait. J'ôte mes chaussons, mon justaucorps. Je me rhabille sans la regarder.

Je l'entends renifler. Enfin... il me semble.

Une enveloppe.

Deux enveloppes, trois, huit, treize enveloppes...

Assise au bureau à côté de Mme Suzette, j'attrape un carton sur la pile de droite, je le glisse dans une enveloppe prise à la pile de gauche, que je colle à grands coups de langue.

L'école chorégraphique Camargo,

Sa directrice, Natividad Camargo del Fresno, chevalier des Arts et Lettres, Maître Serge Torelli, et l'ensemble des professeurs, vous prient d'assister à la soirée de gala, donnée le 18 décembre 1999 à la Salle Noverre, à 20 h 30.

RSVP.

Je sais déjà par cœur la formule. Celle de l'invitation au ballet de Noël – une tradition de l'école Camargo. Chaque année, ses élèves dansent pour les fêtes. Génial ! Même si cette fois-ci, Zita et moi, on va se retrouver au dernier rang du corps de ballet, parce qu'on est « nouvelles ». Mais il y a un petit détail de l'invitation qui m'échappe. *RSVP.* Qu'est-ce que ça signifie ? Je fais des suppositions…

« R comme Rêve, S… Sourire, V ça doit être Vie, et P… passion ou plaisir… ? »

Ils vont bien à la danse, ces mots-là ! Pourtant, je finis par m'informer :

– Dites, madame Suzette, ça veut dire quoi, RSVP… ?

– « Réponse s'il vous plaît », tiens !

La déception ! Mais un bruit de pas ébranle l'escalier.

– Des danseuses ? ironise Mme Suzette, plutôt un troupeau d'éléphants !

Les Vertes dégringolent les marches. Elles s'en vont. Julie passe, les dents serrées. Élodie suit en portant le sac de Flavie, que Victoria et Amandine soutiennent chacune par un bras. Mme Suzette lève les yeux au ciel :

– Quel cinéma !

Zita est la dernière, avec Alice.

– Tu viens, Nina ?

Je me lève.

– Ah ! non, s'écrie Mme Suzette, fais-moi encore quelques enveloppes.

Je me rassois.

– Excuse-moi, je dois y aller, dit Zita. À demain.

Elle se penche pour m'embrasser. Je murmure :

– À demain.

Alice l'attend en tenant la porte. Elles partent ensemble. Comme des amies. Ça me fait un peu mal au cœur. Si elles allaient se raconter plein de trucs… et ne jamais me les répéter… ?

La demi-heure est largement écoulée. Je commence à ressembler à un robot. Carton à droite, enveloppe à gauche, coup de langue. Et ça recommence. L'enfer !

Mais, c'est drôle, je n'ose pas rouspéter ; par crainte de paraître ingrate. Boursière. Je suis boursière. Il ne faut pas l'oublier. Et, à cause de Julie, j'ai maintenant l'impression que ce mot me pèse sur le dos, m'écrase un peu.

La porte vitrée s'ouvre. Un courant glacial balaie l'entrée. Venu du bureau bien fermé de Mme Camargo, l'aboiement étouffé de Coppélia traverse le mur. Des danseurs entrent, chargés de sacs. Ce sont des professionnels qui louent les studios de répétition ouvrant sur la cour.

Je les regarde avec de grands yeux.

Dire qu'ils ont déjà pris la lumière des projecteurs en pleine figure, eux, qu'ils ont entendu le fracas des applaudissements, ou qu'ils y sont même habitués, si ça se trouve !

Leur chorégraphe règle le prix du studio, Mme Suzette encaisse et lui tend une clef. Ils ressortent tous. À travers les vitres, je les vois grimper l'escalier extérieur. J'ai l'impression qu'ils embarquent dans un paquebot, prêt à appareiller pour un pays inconnu…

Mais la voix de Mme Suzette me fait sursauter :

– Hé ! Nina ! Tu bayes aux corneilles ou tu fais des enveloppes ?

Et je m'y remets !

Et si tu danses,
si tu as dansé,
si tu rêves de danser.

Danse !

écrite par
Anne-Marie Pol

[Déjà parus :]

1. *Nina, graine d'étoile*
2. *À moi de choisir*
3. *Embrouilles en coulisses*
4. *Sur un air de hip-hop*

[À paraître :]

5. *Le garçon venu d'ailleurs*
6. *Pleins feux sur Nina*
7. *Une Rose pour Mo*
8. *Coups de bec*
9. *Avec le vent*
10. *Une étoile pour Nina*
11. *Un trac du diable*
12. *Nina se révolte*
13. *Rien ne va plus !*
14. *Si j'étais Cléopâtre...*
15. *Comme un oiseau*
16. *Un cœur d'or*
17. *À Paris*
18. *Le mystère Mo*
19. *Des yeux si noirs...*
20. *Le Miroir Brisé*
21. *Peur de rien !*
22. *Le secret d'Aurore*
23. *Duel*
24. *Sous les étoiles*
25. *Tout se détraque !*
26. *La victoire de Nina*
27. *Prince hip-hop*
28. *Pile ou face*
29. *Quand même !*
30. *Un amour pour Nina*
31. *Grabuge chez Camargo*
32. *Nina et l'Oiseau de feu*
33. *Le triomphe de Nina*
34. *Accroche-toi, Nina !*
35. *La danse ou la vie ?*
36. *La danseuse et le prince*
37. *Paparazzi story*
38. *Nina et son double*
39. *Entre deux cœurs*
40. *Tout commence*

Cet ouvrage a été composé par
PCA – 44400 Rezé